Theodor Fontane

Irrungen, Wirrungen

Roman

Anmerkungen
von Frederick Betz

Philipp Reclam jun. Stuttgart

Der Text folgt: Theodor Fontane: Gesammelte Romane und Novellen. Zehnter Band. Elfter Band. Berlin: F. Fontane, 1891. Orthographie und Interpunktion wurden behutsam dem heutigen Gebrauch angeglichen.

Erläuterungen und Dokumente zu Fontanes *Irrungen, Wirrungen* liegen unter Nr. 8146 in Reclams Universal-Bibliothek vor.

Universal-Bibliothek Nr. 8971
Alle Rechte vorbehalten
© 1965, 1994 Philipp Reclam jun. GmbH & Co., Stuttgart
Um Anmerkungen ergänzte Ausgabe 1994
Satz: Wenzlaff KG, Kempten, Allgäu
Druck und Bindung: Reclam, Ditzingen
Printed in Germany 1996
RECLAM und UNIVERSAL-BIBLIOTHEK sind eingetragene Marken
der Philipp Reclam jun. GmbH & Co., Stuttgart
ISBN 3-15-008971-9

An dem Schnittpunkte von Kurfürstendamm und Kurfürstenstraße, schräg gegenüber dem „Zoologischen", befand sich in der Mitte der siebziger Jahre noch eine große, feldeinwärts sich erstreckende Gärtnerei, deren kleines, dreifenstriges, in einem Vorgärtchen um etwa hundert Schritte zurückgelegenes Wohnhaus, trotz aller Kleinheit und Zurückgezogenheit, von der vorübergehenden Straße her sehr wohl erkannt werden konnte. Was aber sonst noch zu dem Gesamtgewese der Gärtnerei gehörte, ja die recht eigentliche Hauptsache derselben ausmachte, war durch ebendies kleine Wohnhaus wie durch eine Kulisse versteckt, und nur ein rot und grün gestrichenes Holztürmchen mit einem halb weggebrochenen Zifferblatt unter der Turmspitze (von Uhr selbst keine Rede) ließ vermuten, daß hinter dieser Kulisse noch etwas anderes verborgen sein musse, welche Vermutung denn auch in einer von Zeit zu Zeit aufsteigenden, das Türmchen umschwärmenden Taubenschar und mehr noch in einem gelegentlichen Hundegeblaff ihre Bestatigung fand. Wo dieser Hund eigentlich steckte, das entzog sich freilich der Wahrnehmung, trotzdem die hart an der linken Ecke gelegene, von früh bis spät aufstehende Haustür einen Blick auf ein Stückchen Hofraum gestattete. Überhaupt schien sich nichts mit Absicht verbergen zu wollen, und doch mußte jeder, der zu Beginn unserer Erzählung des Weges kam, sich an dem Anblick des dreifenstrigen Häuschens und einiger im Vorgarten stehenden Obstbäume genügen lassen.

Es war die Woche nach Pfingsten, die Zeit der langen Tage, deren blendendes Licht mitunter kein Ende nehmen wollte. Heut aber stand die Sonne schon hinter dem Wilmersdorfer Kirchturm, und statt der Strahlen, die sie den ganzen Tag über herabgeschickt hatte, lagen bereits abendliche Schatten in dem Vorgarten, dessen halbmärchenhafte Stille nur noch von der Stille des von der alten Frau Nimptsch und ihrer Pflegetochter Lene mietweise bewohnten Häuschens übertroffen wurde. Frau Nimptsch selbst aber saß wie gewöhnlich an dem großen, kaum fußhohen Herd ihres die ganze Hausfront einnehmenden Vorderzimmers und sah, hokkend und vorgebeugt, auf einen rußigen alten Teekessel, dessen Deckel, trotzdem der Wrasen auch vorn aus der Tülle quoll, beständig hin- und herklapperte. Dabei hielt die Alte beide Hände gegen die Glut und war so versunken in ihre Betrachtungen und Träumereien, daß sie nicht hörte, wie die nach dem Flur hinausführende Tür aufging und eine robuste Frauensperson ziemlich geräuschvoll eintrat. Erst als diese letztre sich geräuspert und ihre Freundin und Nachbarin, eben unsre Frau Nimptsch, mit einer gewissen Herzlichkeit bei Namen genannt hatte, wandte sich diese nach rückwärts und sagte nun auch ihrerseits freundlich und mit einem Anfluge von Schelmerei: „Na, das is recht, liebe Frau Dörr, daß Sie mal wieder 'rüberkommen. Und noch dazu von's ‚Schloß'. Denn ein Schloß is es und bleibt es. Hat ja 'nen Turm. Un nu setzen Sie sich… Ihren lieben Mann hab ich eben weggehen sehen. Und muß auch. Is ja heute sein Kegelabend."

Die so freundlich als Frau Dörr Begrüßte war nicht bloß eine robuste, sondern vor allem auch eine sehr stattlich aussehende Frau, die, neben dem Eindruck des Gütigen und Zuverlässigen, zugleich den einer besonderen Beschränktheit machte. Die Nimptsch indessen nahm sichtlich keinen Anstoß daran und wiederholte nur: „Ja, sein Kegelabend. Aber, was ich sagen wollte, liebe Frau Dörr, mit Dörren seinen Hut, das geht nicht mehr. Der is ja schon fuchsblank und eigentlich schimpfierlich. Sie müssen ihn ihm wegnehmen und einen andern hinstellen. Vielleicht merkt er es nicht... Und nu rücken Sie 'ran hier, liebe Frau Dörr, oder lieber da drüben auf die Hutsche... Lene, na Sie wissen ja, is ausgeflogen un hat mich mal wieder in Stich gelassen."

„Er war woll hier?"

„Freilich war er. Und beide sind nu ein bißchen auf Wilmersdorf zu; den Fußweg lang, da kommt keiner. Aber jeden Augenblick können sie wieder hier sein."

„Na, da will ich doch lieber gehn."

„O nich doch, liebe Frau Dörr. Er bleibt ja nich. Und wenn er auch bliebe, Sie wissen ja, der is nicht so."

„Weiß, weiß. Und wie steht es denn?"

„Ja, wie soll es stehn? Ich glaube, sie denkt so was, wenn sie's auch nich wahrhaben will, und bildet sich was ein."

„O du meine Güte", sagte Frau Dörr, während sie, statt der ihr angebotenen Fußbank, einen etwas höheren Schemel heranschob: „O du meine Güte, denn is es schlimm. Immer wenn das Einbilden anfängt, fängt auch das Schlimme an. Das is wie Amen in der Kirche. Sehen Sie, liebe Frau Nimptsch, mit mir war es ja eigentlich ebenso, man bloß nichts von Einbildung. Und bloß darum war es auch wieder ganz anders."

Frau Nimptsch verstand augenscheinlich nicht recht, was die Dörr meinte, weshalb diese fortfuhr: „Und weil ich mir nie was in'n Kopp setzte, darum ging es immer ganz glatt und gut und ich habe nu Dörren. Na, viel is es nich, aber es is doch was Anständiges und man kann sich überall sehen lassen. Und drum bin ich auch in die Kirche mit ihm gefahren und nich bloß Standesamt. Bei Standesamt reden sie immer noch." Die Nimptsch nickte.

Frau Dörr aber wiederholte: „Ja, in die Kirche, in die Matthäikirche un bei Büchseln. Aber was ich eigentlich sagen wollte, sehen Sie, liebe Frau Nimptsch, ich war ja woll eigentlich größer und anziehlicher als die

Lene, un wenn ich auch nicht hübscher war (denn so
was kann man nie recht wissen un die Geschmäcker sind
so verschieden), so war ich doch so mehr im Vollen un
das mögen manche. Ja, so viel is richtig. Aber wenn ich
auch sozusagen fester war un mehr im Gewicht fiel un 5
so was hatte, nu ja, ich hatte so was, so war ich doch
immer man ganz einfach un beinah simpel, un was nu
e r war, mein Graf mit seine fuffzig aufm Puckel, na,
der war auch man ganz simpel und bloß immer kreuz-
fidel un unanständig. Und da reichen ja keine hundert 10
Mal, daß ich ihm gesagt habe: ‚Ne ne, Graf, d a s geht
nicht, so was verbitt ich mir …‘ Und immer die Alten
sind so. Und ich sage bloß, liebe Frau Nimptsch, Sie
können sich so was gar nich denken. Gräßlich war es.
Und wenn ich mir nu der Lene ihren Baron ansehe, 15
denn schäm es mir immer noch, wenn ich denke wie
meiner war. Und nu gar erst die Lene selber. Jott, ein
Engel is sie woll grade auch nich, aber propper und
fleißig un kann alles un is für Ordnung un fürs Re-
elle. Und sehen Sie, liebe Frau Nimptsch, das is grade 20
das Traurige. Was da so ’rumfliegt, heute hier un morgen da, na, das kommt nicht um, das fällt wie die Katz’
immer wieder auf die vier Beine, aber so’n gutes Kind,
das alles ernsthaft nimmt und alles aus Liebe tut, ja,
d a s ist schlimm … Oder vielleicht is es auch nich so 25
schlimm; Sie haben sie ja bloß angenommen un is nich
Ihr eigen Fleisch und Blut un vielleicht is es eine Prinzessin oder so was.“

Frau Nimptsch schüttelte bei dieser Vermutung den
Kopf und schien antworten zu wollen. Aber die Dörr 30
war schon aufgestanden und sagte, während sie den
Gartensteig hinuntersah: „Gott, da kommen sie. Und
bloß in Zivil, un Rock un Hose ganz egal. Aber man
sieht es doch! Und nu sagt er ihr was ins Ohr und sie
lacht so vor sich hin. Aber ganz rot is sie geworden … 35
Und nu geht er. Und nu … wahrhaftig, ich glaube, er
dreht noch mal um. Nei, nei, er grüßt bloß noch mal

und sie wirft ihm Kußfinger zu... Ja, das glaub
ich; so was laß ich mir gefallen... Nei, so war meiner
nich."

Frau Dörr sprach noch weiter, bis Lene kam und die
beiden Frauen begrüßte.

ZWEITES KAPITEL

Andern Vormittags schien die schon ziemlich hochstehende Sonne auf den Hof der Dörrschen Gärtnerei
und beleuchtete hier eine Welt von Baulichkeiten, unter
denen auch das „Schloß" war, von dem Frau Nimptsch
am Abend vorher mit einem Anfluge von Spott und
Schelmerei gesprochen hatte. Ja, dies „Schloß"! In der
Dämmerung hätt' es bei seinen großen Umrissen wirklich für etwas Derartiges gelten können, heut aber, in
unerbittlich heller Beleuchtung daliegend, sah man nur
zu deutlich, daß der ganze bis hoch hinauf mit gotischen Fenstern bemalte Bau nichts als ein jämmerlicher
Holzkasten war, in dessen beide Giebelwände man ein
Stück Fachwerk mit Stroh- und Lehmfüllung eingesetzt
hatte, welchem vergleichsweise soliden Einsatze zwei
Giebelstuben entsprachen. Alles andere war bloße Stein-
diele, von der aus ein Gewirr von Leitern zunächst auf
einen Boden und von diesem höher hinauf in das als
Taubenhaus dienende Türmchen führte. Früher, in Vor-
Dörrscher-Zeit, hatte der ganze riesige Holzkasten als
bloße Remise zur Aufbewahrung von Bohnenstangen
und Gießkannen, vielleicht auch als Kartoffelkeller ge-
dient, seit aber, vor soundsoviel Jahren, die Gärtnerei
von ihrem gegenwärtigen Besitzer gekauft worden war,
war das eigentliche Wohnhaus an Frau Nimptsch ver-
mietet und der gotisch bemalte Kasten, unter Einfü-
gung der schon erwähnten zwei Giebelstuben, zum
Aufenthalt für den damals verwitweten Dörr herge-

7

richtet worden, eine höchst primitive Herrichtung, an
der seine bald danach erfolgende Wiederverheiratung
nichts geändert hatte. Sommers war diese beinah fen-
sterlose Remise mit ihren Steinfliesen und ihrer Kühle
kein übel Aufenthalt, um die Winterszeit aber hätte 5
Dörr und Frau, samt einem aus erster Ehe stammenden
zwanzigjährigen, etwas geistesschwachen Sohn, einfach
erfrieren müssen, wenn nicht die beiden großen, an der
andern Seite des Hofes gelegenen Treibhäuser gewesen wären. In diesen verbrachten alle drei Dörrs die 10
Zeit von November bis März ausschließlich, aber auch
in der besseren und sogar in der heißen Jahreszeit spielte sich das Leben der Familie, wenn man nicht gerade
vor der Sonne Zuflucht suchte, zu großem Teile vor
und in diesen Treibhäusern ab, weil hier alles am be- 15
quemsten lag: hier standen die Treppchen und Estraden, auf denen die jeden Morgen aus den Treibhäusern
hervorgeholten Blumen ihre frische Luft schöpfen durf-
ten, hier war der Stall mit Kuh und Ziege, hier die
Hütte mit dem Ziehhund und von hier aus erstreckte 20
sich auch das wohl fünfzig Schritte lange Doppelmist-
beet, mit einem schmalen Gange dazwischen, bis an den
großen, weiter zurückgelegenen Gemüsegarten. In diesem sah es nicht sonderlich ordentlich aus, einmal weil
Dörr keinen Sinn für Ordnung, außerdem aber eine so 25
große Hühnerpassion hatte, daß er diesen seinen Lieb-
lingen, ohne Rücksicht auf den Schaden, den sie stifte-
ten, überall umherzupicken gestattete. Groß freilich
war dieser Schaden nie, da seiner Gärtnerei, die Spar-
gelanlagen abgerechnet, alles Feinere fehlte. Dörr hielt 30
das Gewöhnlichste zugleich für das Vorteilhafteste, zog
deshalb Majoran und andere Wurstkräuter, besonders
aber Porree, hinsichtlich dessen er der Ansicht lebte, daß
der richtige Berliner überhaupt nur drei Dinge brauche:
eine Weiße, einen Gilka und Porree. „Bei Porree“, schloß 35
er dann regelmäßig, „ist noch keiner zu kurz gekommen.“ Er war überhaupt ein Original, von ganz selbst-

ständigen Anschauungen und einer entschiedenen Gleichgültigkeit gegen das, was über ihn gesagt wurde. Dem entsprach denn auch seine zweite Heirat, eine Neigungsheirat, bei der die Vorstellung von einer besondren Schönheit seiner Frau mitgewirkt und ihr früheres Verhältnis zu dem Grafen, statt ihr schädlich zu sein, gerad umgekehrt den Ausschlag zum Guten hin gegeben und einfach den Vollbeweis ihrer Unwiderstehlichkeit erbracht hatte. Wenn sich dabei mit gutem Grunde von Überschätzung sprechen ließ, so doch freilich nicht von seiten Dörrs in Person, für den die Natur, soweit Äußerlichkeiten in Betracht kamen, ganz ungewöhnlich wenig getan hatte. Mager, mittelgroß und mit fünf grauen Haarsträhnen über Kopf und Stirn, wär' er eine vollkommene Trivialerscheinung gewesen, wenn ihm nicht eine zwischen Augenwinkel und linker Schläfe sitzende braune Pocke was Apartes gegeben hätte. Weshalb denn auch seine Frau nicht mit Unrecht und in der ihr eigenen ungenierten Weise zu sagen pflegte: „Schrumplich is er man, aber von links her hat er so was Borsdorfriges."

Damit war er gut getroffen und hätte nach diesem Signalement überall erkannt werden müssen, wenn er nicht tagaus, tagein eine mit einem großen Schirm ausgestattete Leinwandmütze getragen hätte, die, tief ins Gesicht gezogen, sowohl das Alltägliche wie das Besondere seiner Physiognomie verbarg.

Und so, die Mütze samt Schirm ins Gesicht gezogen, stand er auch heute wieder, am Tage nach dem zwischen Frau Dörr und Frau Nimptsch geführten Zwiegespräche, vor einer an das vordere Treibhaus sich anlehnenden Blumenestrade, verschiedene Goldlack- und Geraniumtöpfe beiseiteschiebend, die morgen mit auf den Wochenmarkt sollten. Es waren sämtlich solche, die nicht im Topf gezogen, sondern nur eingesetzt waren, und mit einer besonderen Genugtuung und Freude ließ er sie vor sich aufmarschieren, schon im voraus über die

„Madams" lachend, die morgen kommen, ihre herkömmlichen fünf Pfennig abhandeln und schließlich doch die Betrogenen sein würden. Es zählte das zu seinen größten Vergnügungen und war eigentlich das Hauptgeistesleben, das er führte. „Das bißchen Geschimpfe... Wenn ich's nur mal mit anhören könnte."

So sprach er noch vor sich hin, als er, vom Garten her, das Gebell eines kleinen Köters und dazwischen das verzweifelte Krähen eines Hahns hörte, ja, wenn nicht alles täuschte, s e i n e s Hahns, seines Lieblings mit dem Silbergefieder. Und sein Auge nach dem Garten hin richtend, sah er in der Tat, daß ein Haufen Hühner auseinandergestoben, der Hahn aber auf einen Birnbaum geflogen war, von dem aus er gegen den unten kläffenden Hund unausgesetzt um Hilfe rief.

„Himmeldonnerwetter", schrie Dörr in Wut, „das is wieder Bollmann seiner... Wieder durch den Zaun... I, da soll doch..." Und den Geraniumtopf, den er eben musterte, rasch aus der Hand setzend, lief er auf die Hundehütte zu, griff nach dem Kettenzwickel und machte den großen Ziehhund los, der nun sofort auch wie ein Rasender auf den Garten zuschoß. Eh' dieser jedoch den Birnbaum erreichen konnte, gab „Bollmann seiner" bereits Fersengeld und verschwand unter dem Zaun weg ins Freie – der fuchsgelbe Ziehhund zunächst noch in großen Sätzen nach. Aber das Zaunloch, das für den Affenpinscher grad ausgereicht hatte, verweigerte ihm den Durchgang und zwang ihn, von seiner Verfolgung Abstand zu nehmen.

Nicht besser erging es Dörr selber, der inzwischen mit einer Harke herangekommen war und mit seinem Hunde Blicke wechselte. „Ja, Sultan, diesmal war es nichts." Und dabei trottete Sultan wieder auf seine Hütte zu, langsam und verlegen, wie wenn er einen kleinen Vorwurf herausgehört hätte. Dörr selbst aber sah dem draußen in einer Ackerfurche hinjagenden Affenpinscher nach und sagte nach einer Weile: „Hol'

mich der Deubel, wenn ich mir nich 'ne Windbüchse an-
schaffe, bei Mehles oder sonstwo. Un denn pust ich das
Biest so stille weg, und kräht nich Huhn, nich Hahn
danach. Nich mal meiner."

5   Von dieser ihm von seiten Dörrs zugemuteten Ruhe
schien der letztere jedoch vorläufig nichts wissen zu
wollen, machte vielmehr von seiner Stimme nach wie
vor den ausgiebigsten Gebrauch. Und dabei warf er
den Silberhals so stolz, als ob er den Hühnern zeigen
10 wolle, daß seine Flucht in den Birnbaum hinein ein
wohlüberlegter Coup oder eine bloße Laune gewesen
sei.

Dörr aber sagte: „Jott, so'n Hahn. Denkt nu auch
wunder was er is. Un seine Courage is doch auch man
15 soso."

Und damit ging er wieder auf seine Blumenestrade
zu.

DRITTES KAPITEL

Der ganze Hergang war auch von Frau Dörr, die gera-
20 de beim Spargelstechen war, beobachtet, aber nur wenig beachtet worden, weil sich ähnliches jeden dritten
Tag wiederholte. Sie fuhr denn auch in ihrer Arbeit
fort und gab das Suchen erst auf, als auch die schärfste
Musterung der Beete keine „weißen Köppe" mehr er-
25 geben wollte. Nun erst hing sie den Korb an ihren Arm,
legte das Stechmesser hinein und ging langsam und ein
paar verirrte Küken vor sich her treibend, erst auf den
Mittelweg des Gartens und dann auf den Hof und die
Blumenestrade zu, wo Dörr seine Marktarbeit wieder
30 aufgenommen hatte.

„Na, Suselchen", empfing er seine beßre Hälfte, „da
bist du ja. Hast du woll gesehn? Bollmann seiner war
wieder da. Höre, der muß dran glauben und denn brat
ich ihn aus; ein bißchen Fett wird er woll haben un

Sultan kann denn die Grieben kriegen... Und Hundefett, höre Susel..." und er wollte sich augenscheinlich
in eine seit einiger Zeit von ihm bevorzugte Gichtbe-
handlungsmethode vertiefen. In diesem Augenblick
aber des Spargelkorbes am Arme seiner Frau gewahr 5
werdend, unterbrach er sich und sagte: „Na, nu zeige
mal her. Hat's denn gefleckt?"

„I nu", sagte Frau Dörr und hielt ihm den kaum
halbgefüllten Korb hin, dessen Inhalt er kopfschüt-
telnd durch die Finger gleiten ließ. Denn es waren 10
meist dünne Stangen und viel Bruch dazwischen.

„Höre, Susel, es bleibt dabei, du hast keine Spargel-
augen."

„Oh, ich habe schon. Man bloß hexen kann ich nich."

„Na, wir wollen nich streiten, Susel; mehr wird es 15
doch nich. Aber zum Verhungern is es."

„I, es denkt nich dran. Laß doch das ewige Gerede,
Dörr; sie stecken ja drin un ob sie nu heute 'rauskom-
men oder morgen, is ja ganz egal. Eine düchtige Husche,
so wie die vor Pfingsten, und du sollst mal sehn. Und 20
Regen gibt es. Die Wassertonne riecht schon wieder un
die große Kreuzspinn is in die Ecke gekrochen. Aber
du willst jeden Dag alles haben; das kannst du nich
verlangen."

Dörr lachte. „Na, binde man alles gut zusammen. 25
Und den kleinen Murks auch. Und du kannst ja denn
auch was ablassen."

„Ach, rede doch nicht so", unterbrach ihn die sich über
seinen Geiz beständig ärgernde Frau, zog ihn aber, was
er immer als Zärtlichkeit nahm, auch heute wieder am 30
Ohrzipfel und ging auf das „Schloß" zu, wo sie sich's
auf dem Steinfliesenflur bequem machen und die Spar-
gelbündel binden wollte. Kaum aber, daß sie den hier
immer bereitstehenden Schemel bis an die Schwelle
vorgerückt hatte, so hörte sie, wie schräg gegenüber in 35
dem von der Frau Nimptsch bewohnten dreifenstrigen
Häuschen ein Hinterfenster mit einem kräftigen Ruck

12

aufgestoßen und gleich darauf eingehakt wurde. Zugleich sah sie Lene, die mit einer weiten, lilagemusterten Jacke über den Friesrock und einem Häubchen auf dem aschblonden Haar, freundlich zu ihr hinüber-
5 grüßte.

Frau Dörr erwiderte den Gruß mit gleicher Freundlichkeit und sagte dann: „Immer Fenster auf; das ist recht, Lenchen. Und fängt auch schon an heiß zu werden. Es gibt heute noch was."

10 „Ja. Und Mutter hat von der Hitze schon ihr Kopfweh und da will ich doch lieber in der Hinterstube plätten. Is auch hübscher hier; vorne sieht man ja keinen Menschen."

„Hast recht", antwortete die Dörr. „Na, da werd'
15 ich man ein bißchen ans Fenster rücken. Wenn man so spricht, geht einen alles besser von der Hand."

„Ach, das is lieb und gut von Ihnen, Frau Dörr. Aber hier am Fenster is ja grade die pralle Sonne."

„Schad't nichts, Lene. Da bring ich meinen Marcht-
20 schirm mit, altes Ding und lauter Flicken. Aber tut immer noch seine Schuldigkeit."

Und ehe fünf Minuten um waren, hatte die gute Frau Dörr ihren Schemel bis an das Fenster geschleppt und saß nun unter ihrer Schirmstellage so behaglich und
25 selbstbewußt, als ob es auf dem Gensdarmenmarkt gewesen wäre. Drinnen aber hatte Lene das Plättbrett auf zwei dicht ans Fenster gerückte Stühle gelegt und stand nun so nah, daß man sich mit Leichtigkeit die Hand reichen konnte. Dabei ging das Plätteisen emsig
30 hin und her. Und auch Frau Dörr war fleißig beim Aussuchen und Zusammenbinden und wenn sie dann und wann von ihrer Arbeit aus ins Fenster hineinsah, sah sie, wie nach hinten zu der kleine Plättofen glühte, der für neue heiße Bolzen zu sorgen hatte.

35 „Du könntest mir mal 'nen Teller geben, Lene, Teller oder Schüssel." Und als Lene gleich danach brachte, was Frau Dörr gewünscht hatte, tat diese den Bruch-

spargel hinein, den sie während des Sortierens in ihrer
Schürze behalten hatte. „Da, Lene, das gibt 'ne Spar-
gelsuppe. Un is so gut wie das andre. Denn daß es immer die Köppe sein müssen, is ja dummes Zeug. Ebenso
wie mit'n Blumenkohl; immer Blume, Blume, die reine 5
Einbildung. Der Strunk is eigentlich das Beste, da sitzt
die Kraft drin. Und die Kraft is immer die Hauptsache."

„Gott, Sie sind immer so gut, Frau Dörr. Aber was
wird nur Ihr Alter sagen?" 10

„D e r ? Ach, Leneken, was d e r sagt, is ganz egal.
Der red't doch. Er will immer, daß ich den Murks mit
einbinde, wie wenn's richtige Stangen wären; aber solche Bedrügerei mag ich nich, auch wenn Bruch- und
Stückenzeug gradeso gut schmeckt wie's Ganze. Was 15
einer bezahlt, das muß er haben, un ich ärgre mir bloß,
daß so'n Mensch, dem es so zuwächst, so'n alter Geizkragen is. Aber so sind die Gärtners alle, rapschen und
rapschen un können nie genug kriegen."

„Ja", lachte Lene, „geizig is er und ein bißchen wun- 20
derlich. – Aber eigentlich doch ein guter Mann."

„Ja, Leneken, er wäre soweit ganz gut un auch die
Geizerei wäre nich so schlimm un is immer noch besser
als die Verbringerei, wenn er man nich so zärtlich wäre.
Du glaubst es nich, immer is er da. Un nu sieh ihn dir 25
an. Es is doch eigentlich man ein Jammer mit ihm un
dabei richtige Sechsundfünfzig un vielleicht is es noch
ein Jahr mehr. Denn lügen tut er auch, wenn's ihm gerade paßt. Un da hilft auch nichts, gar nichts. Ich erzähl
ihm immer von Schlag und Schlag und zeig ihm welche, 30
die so humpeln und einen schiefen Mund haben, aber
er lacht bloß immer und glaubt es nich. Es kommt aber
doch so. Ja, Leneken, ich glaub es ganz gewiß, daß es so
kommt. Und vielleicht balde. Na, verschrieben hat er
mir alles un so sag ich weiter nichts. Wie einer sich legt, 35
so liegt er. Aber was reden wir von Schlag und Dörr
un daß er bloß O-Beine hat. Jott, mein Lenechen, da

14

gibt es ganz andere Leute, die sind so grade gewachsen wie 'ne Tanne. Nich wahr, Lene?"

Lene wurde hierbei noch röter, als sie schon war, und sagte: „Der Bolzen ist kalt geworden." Und vom Plätt-
5 brett zurücktretend, ging sie bis an den eisernen Ofen und schüttete den Bolzen in die Kohlen zurück, um einen neuen herauszunehmen. Alles war das Werk eines Augenblicks. Und nun ließ sie mit einem geschickten Ruck den neuen glühenden Bolzen vom Feuerhaken in
10 das Plätteisen niedergleiten, klappte das Türchen wieder ein und sah nun erst, daß Frau Dörr noch immer auf Antwort wartete. Sicherheitshalber aber stellte die gute Frau die Frage noch mal und setzte gleich hinzu: „Kommt er denn heute?"

15 „Ja. Wenigstens hat er es versprochen."

„Nu sage mal, Lene", fuhr Frau Dörr fort, „wie kam es denn eigentlich? Mutter Nimptsch sagt nie was, un wenn sie was sagt, denn is es auch man immer soso, nich hüh un nich hott. Und immer bloß halb un so konfuse.
20 Nu, sage du mal. Is es denn wahr, daß es in Stralau war?"

„Ja, Frau Dörr, in Stralau war es, den zweiten Ostertag, aber schon so warm, als ob Pfingsten wär', und weil Lina Gansauge gern Kahn fahren wollte, nahmen
25 wir einen Kahn und Rudolf, den Sie ja wohl auch kennen und der ein Bruder von Lina ist, setzte sich ans Steuer."

„Jott, Rudolf. Rudolf is ja noch ein Junge."

„Freilich. Aber er meinte, daß er's verstünde, und
30 sagte bloß immer: ‚Mächens, ihr müßt stillsitzen; ihr schunkelt so', denn er spricht so furchtbar berlinsch. Aber wir dachten gar nicht dran, weil wir gleich sahen, daß es mit seiner ganzen Steuerei nicht weit her sei. Zuletzt aber vergaßen wir's wieder und ließen uns treiben
35 und neckten uns mit denen, die vorbeikamen und uns mit Wasser bespritzten. Und in dem einen Boote, das mit unsrem dieselbe Richtung hatte, saßen ein paar sehr

15

feine Herren, die beständig grüßten, und in unsrem Übermut grüßten wir wieder und Lina wehte sogar mit dem Taschentuch und tat, als ob sie die Herren kenne, was aber gar nicht der Fall war, und wollte sich bloß zeigen, weil sie noch so sehr jung ist. Und während wir noch so lachten und scherzten und mit dem Ruder bloß so spielten, sahen wir mit einem Male, daß von Treptow her das Dampfschiff auf uns zukam und wie Sie sich denken können, liebe Frau Dörr, waren wir auf den Tod erschrocken und riefen in unserer Angst Rudolfen zu, daß er uns heraussteuern solle. Der Junge war aber aus Rand und Band und steuerte bloß so, daß wir uns beständig im Kreise drehten. Und nun schrien wir und wären sicherlich überfahren worden, wenn nicht in eben diesem Augenblicke das andre Boot mit den zwei Herren sich unsrer Not erbarmt hätte. Mit ein paar Schlägen war es neben uns und während der eine mit einem Bootshaken uns fest und scharf heranzog und an das eigne Boot ankoppelte, ruderte der andere sich und uns aus dem Strudel heraus und nur einmal war es noch, als ob die große, vom Dampfschiff her auf uns zukommende Welle uns umwerfen wolle. Der Kapitän drohte denn auch wirklich mit dem Finger (ich sah es inmitten all meiner Angst), aber auch das ging vorüber und eine Minute später waren wir bis an Stralau heran und die beiden Herren, denen wir unsre Rettung verdankten, sprangen ans Ufer und reichten uns die Hand und waren uns als richtige Kavaliere beim Aussteigen behülflich. Und da standen wir denn nun auf der Landungsbrücke bei Tübbeckes und waren sehr verlegen und Lina weinte jämmerlich vor sich hin und bloß Rudolf, der überhaupt ein störrischer und großmäuliger Bengel is und immer gegen's Militär, bloß Rudolf sah ganz bockig vor sich hin, als ob er sagen wollte: ‚Dummes Zeug, ich hätt' euch auch 'rausgesteuert.'"

„Ja, so is er, ein großmäuliger Bengel; ich kenn ihn.

Aber nu die beiden Herren. Das ist doch die Hauptsache ..."

„Nun die bemühten sich erst noch um uns und blieben dann an dem andren Tisch und sahen immer zu uns
5 'rüber. Und als wir so gegen sieben, und es schum-
merte schon, nach Hause wollten, kam der eine und
fragte, ‚ob er und sein Kamerad uns ihre Begleitung
anbieten dürften?' Und da lacht' ich übermütig und sagte, ‚sie hätten uns ja gerettet und einem Retter dürfe
10 man nichts abschlagen. Übrigens sollten sie sich's noch
mal überlegen, denn wir wohnten so gut wie am andern Ende der Welt. Und sei eigentlich eine Reise.' Und
Worauf er verbindlich antwortete: ‚Desto besser.' Und
mittlerweile war auch der andre herangekommen ...
15 Ach, liebe Frau Dörr, es mag wohl nicht recht gewesen
sein, gleich so freiweg zu sprechen, aber der eine gefiel
mir und sich zieren und zimperlich tun, das hab ich nie
gekonnt. Und so gingen wir denn den weiten Weg, erst
an der Spree und dann an dem Kanal hin."

20   „Und Rudolf!"

„Der ging hinterher, als ob er gar nicht zugehöre,
sah aber alles und paßte gut auf. Was auch recht war;
denn die Lina is ja erst achtzehn und noch ein gutes,
unschuldiges Kind!"

25   „Meinst du?"

„Gewiß, Frau Dörr. Sie brauchen sie ja bloß anzusehn. So was sieht man gleich."

„Ja, mehrstens. Aber mitunter auch nich. Und da
haben sie euch denn nach Hause gebracht?"

30   „Ja, Frau Dörr."

„Und nachher?"

„Ja, nachher. Nun Sie wissen ja, wie's nachher kam.
Er kam dann den andern Tag und fragte nach. Und
seitdem ist er oft gekommen und ich freue mich im-
35 mer, wenn er kommt. Gott, man freut sich doch, wenn
man mal was erlebt. Es ist oft so einsam hier draußen.
Und Sie wissen ja, Frau Dörr, Mutter hat nichts dage-

gen und sagt immer: Kind, es schad't nichts. Eh' man sich's versieht, is man alt."

„Ja, ja", sagte die Dörr, „so was hab ich die Nimptschen auch schon sagen hören. Und hat auch ganz recht. Das heißt, wie man's nehmen will und nach'm Katechismus is doch eigentlich immer noch besser und sozusagen überhaupt das Beste. Das kannst du mir schon glauben. Aber ich weiß woll, es geht nich immer und mancher will auch nich. Und wenn einer nich will, na, denn will er nich un denn muß es auch so gehn und geht auch mehrstens, man bloß, daß man ehrlich is un anständig und Wort hält. Un natürlich, was denn kommt, das muß man aushalten un darf sich nicht wundern. Un wenn man all so was weiß und sich immer wieder zu Gemüte führt, na, denn is es nich so schlimm. Un schlimm is eigentlich man bloß das Einbilden."

„Ach, liebe Frau Dörr", lachte Lene, „was Sie nur denken. Einbilden! Ich bilde mir gar nichts ein. Wenn ich einen liebe, dann lieb ich ihn. Und das ist mir genug. Und will weiter gar nichts von ihm, nichts, gar nichts, und daß mir mein Herze so schlägt und ich die Stunden zähle bis er kommt, und nicht abwarten kann, bis er wieder da ist, das macht mich glücklich, das ist mir genug."

„Ja", schmunzelte die Dörr vor sich hin, „das is das Richtige, so muß es sein. Aber is es denn wahr, Lene, daß er Botho heißt? So kann doch einer eigentlich nich heißen; das is ja gar kein christlicher Name."

„Doch, Frau Dörr." Und Lene machte Miene, die Tatsache, daß es solchen Namen gäbe, des weiteren zu bestätigen. Aber ehe sie dazu kommen konnte, schlug Sultan an und im selben Augenblicke hörte man deutlich vom Hausflur her, daß wer eingetreten sei. Wirklich erschien auch der Briefträger und brachte zwei Bestellkarten für Dörr und einen Brief für Lene.

„Gott, Hahnke", rief die Dörr dem in großen Schweißperlen vor ihr Stehenden zu, „Sie drippen ja man so. Is es denn so'ne schwebende Hitze? Un' erst halb zehn. Na so viel seh ich woll, Briefträger is auch kein Vergnügen."

Und die gute Frau wollte gehn, um ein Glas frische Milch zu holen. Aber Hahnke dankte. „Habe keine Zeit, Frau Dörr. Ein ander Mal." Und damit ging er.

Lene hatte mittlerweile den Brief erbrochen.

„Na, was schreibt er?"

„Er kommt heute nicht, aber morgen. Ach, es ist so lange bis morgen. Ein Glück, daß ich Arbeit habe; je mehr Arbeit, desto besser. Und ich werde heut nachmittag in Ihren Garten kommen und graben helfen. – Aber Dörr darf nicht dabei sein." –

„I Gott bewahre."

Und danach trennte man sich und Lene ging in das Vorderzimmer, um der Alten das von der Frau Dörr erhaltene Spargelgericht zu bringen.

VIERTES KAPITEL

Und nun war der andre Abend da, zu dem Baron Botho sich angemeldet hatte. Lene ging im Vorgarten auf und ab, drinnen aber, in der großen Vorderstube, saß wie gewöhnlich Frau Nimptsch am Herd, um den herum sich auch heute wieder die vollzählig erschienene Familie Dörr gruppiert hatte. Frau Dörr strickte mit großen Holznadeln an einer blauen, für ihren Mann bestimmten Wolljacke, die, vorläufig noch ohne rechte Form, nach Art eines großen Vlieses auf ihrem Schoße lag. Neben ihr, die Beine bequem übereinandergeschlagen, rauchte Dörr aus einer Tonpfeife, während der Sohn in einem dicht am Fenster stehenden Großvaterstuhle saß und seinen Rotkopf an die Stuhlwange lehnte. Jeden Morgen bei Hahnenschrei aus dem Bett, war er auch heute wieder vor Müdigkeit eingeschlafen. Ge-

19

sprochen wurde wenig, und so hörte man denn nichts als das Klappern der Holznadeln und das Knabbern des Eichhörnchens, das mitunter aus seinem Schilderhäuschen herauskam und sich neugierig umsah. Nur das Herdfeuer und der Widerschein des Abendrots gaben 5 etwas Licht.

Frau Dörr saß so, daß sie den Gartensteg hinaufsehen und trotz der Dämmerung erkennen konnte, wer draußen, am Heckenzaun entlang, des Weges kam.

„Ah, da kommt er", sagte sie. „Nu, Dörr, laß mal 10 deine Pfeife ausgehen. Du bist heute wieder wie'n Schornstein un rauchst und schmookst den ganzen Tag. Un son'n Knallerballer wie deiner, der is nich für jeden."

Dörr ließ sich solche Rede wenig anfechten, und ehe 15 seine Frau mehr sagen oder ihre Wahrsprüche wiederholen konnte, trat der Baron ein. Er war sichtlich angeheitert, kam er doch von einer Maibowle, die Gegenstand einer Klubwette gewesen war, und sagte, während er Frau Nimptsch die Hand reichte: „Guten 20 Tag, Mutterchen. Hoffentlich gut bei Weg'. Ah, und Frau Dörr; und Herr Dörr, mein alter Freund und Gönner. Hören Sie, Dörr, was sagen Sie zu dem Wetter? Eigens für Sie bestellt und für mich mit. Meine Wiesen zu Hause, die vier Jahre von fünf immer unter 25 Wasser stehen und nichts bringen als Ranunkeln, die können solch Wetter brauchen. Und Lene kann's auch brauchen, daß sie mehr draußen ist; sie wird mir sonst zu blaß."

Lene hatte derweilen einen Holzstuhl neben die Alte 30 gerückt, weil sie wußte, daß Baron Botho hier am liebsten saß; Frau Dörr aber, in der eine starke Vorstellung davon lebte, daß ein Baron auf einem Ehrenplatz sitzen müsse, war inzwischen aufgestanden und rief, immer das blaue Vlies nachschleppend, ihrem Pflege- 35 sohn zu: „Will er woll auf! Ne, ich sage. Wo's nich drin steckt, da kommt es auch nich." Der arme Junge fuhr

blöd und verschlafen in die Höh' und wollte den Platz
räumen, der Baron litt es aber nicht. „Ums Himmels
willen, liebe Frau Dörr, lassen Sie doch den Jungen.
Ich sitz am liebsten auf einem Schemel, wie mein
Freund Dörr hier."

Und damit schob er den Holzstuhl, den Lene noch
immer in Bereitschaft hatte, neben die Alte und sagte,
während er sich setzte: „Hier neben Frau Nimptsch;
das ist der beste Platz. Ich kenne keinen Herd, auf den
ich so gern sähe; immer Feuer, immer Wärme. Ja, Mutterchen, es ist so; hier ist es am besten."

„Ach, du mein Gott", sagte die Alte. „Hier am besten! Hier bei 'ner alten Wasch- und Plättefrau."

„Freilich. Und warum nicht? Jeder Stand hat seine
Ehre. Waschfrau auch. Wissen Sie denn, Mutterchen,
daß es hier in Berlin einen berühmten Dichter gegeben
hat, der ein Gedicht auf seine alte Waschfrau gemacht
hat?"

„Is es möglich?"

„Freilich ist es möglich. Es ist sogar gewiß. Und wissen Sie, was er zum Schluß gesagt hat? Da hat er gesagt, er möchte so leben und sterben wie die alte Waschfrau. Ja, das hat er gesagt."

„Is es möglich?" simperte die Alte noch einmal vor
sich hin.

„Und wissen Sie, Mutterchen, um auch das nicht zu
vergessen, daß er ganz recht gehabt hat und daß ich
ganz dasselbe sage? Ja, Sie lachen so vor sich hin. Aber
sehen Sie sich mal um hier, wie leben Sie? Wie Gott in
Frankreich. Erst haben Sie das Haus und diesen Herd
und dann den Garten und dann Frau Dörr. Und dann
haben Sie die Lene. Nicht wahr? Aber wo steckt sie
nur?"

Er wollte noch weiter sprechen, aber im selben
Augenblicke kam Lene mit einem Kaffeebrett zurück,
auf dem eine Karaffe mit Wasser samt Apfelwein stand,
Apfelwein, für den der Baron, weil er ihm wunder-

bare Heilkraft zuschrieb, eine sonst schwer begreifliche Vorliebe hatte.

„Ach Lene, wie du mich verwöhnst. Aber du darfst es mir nicht so feierlich präsentieren, das ist ja wie wenn ich im Klub wäre. Du mußt es mir aus der Hand bringen, da schmeckt es am besten. Und nun gib mir deine Patsche, daß ich sie streicheln kann. Nein, nein, die Linke, die kommt von Herzen. Und nun setze dich da hin, zwischen Herr und Frau Dörr, dann hab ich dich gegenüber und kann dich immer ansehn. Ich habe mich den ganzen Tag auf diese Stunde gefreut."

Lene lachte.

„Du glaubst es wohl nicht? Ich kann es dir aber beweisen, Lene, denn ich habe dir von der großen Herrenund Damenfête, die wir gestern hatten, was mitgebracht. Und wenn man was zum Mitbringen hat, dann freut man sich auch auf die, die's kriegen sollen. Nicht wahr, lieber Dörr?"

Dörr schmunzelte, Frau Dörr aber sagte: „Jott, der. Der un mitbringen. Dörr is bloß für rapschen und sparen. So sind die Gärtners. Aber neugierig bin ich doch, was der Herr Baron mitgebracht haben."

„Nun, da will ich nicht lange warten lassen, sonst denkt meine liebe Frau Dörr am Ende, daß es ein goldener Pantoffel ist oder sonst was aus dem Märchen. Es ist aber bloß das."

Und dabei gab er Lenen eine Tüte, daraus, wenn nicht alles täuschte, das gefranste Papier einiger Knallbonbons hervorguckte.

Wirklich, es waren Knallbonbons und die Tüte ging reihum.

„Aber nun müssen wir auch ziehen, Lene; halt fest und Augen zu."

Frau Dörr war entzückt, als es einen Knall gab, und noch mehr, als Lenes Zeigefinger blutete. „Das tut nich weh, Lene, das kenn ich; das is, wie wenn sich 'ne Braut in'n Finger sticht. Ich kannte mal eine, die war so versessen drauf, die stach sich immerzu un lutschte und lutschte, wie wenn es wunder was wäre."

Lene wurde rot. Aber Frau Dörr sah es nicht und fuhr fort: „Und nu den Vers lesen, Herr Baron."

5 Und dieser las denn auch:

„In Liebe selbstvergessen sein,
Freut Gott und die lieben Engelein."

„Jott", sagte Frau Dörr und faltete die Hände. „Das is ja wie aus'n Gesangbuch. Is es denn immer so fromm?"

10 „I bewahre", sagte Botho. „Nicht immer. Kommen Sie, liebe Frau Dörr, wir wollen auch mal ziehen und sehn, was dabei herauskommt."

Und nun zog er wieder und las:

„Wo Amors Pfeil recht tief getroffen,
15 Da stehen Himmel und Hölle offen."

„Nun, Frau Dörr, was sagen Sie dazu? das klingt schon anders; nicht wahr?"

„Ja", sagte Frau Dörr, „anders klingt es. Aber es ge-fällt mir nicht recht... Wenn ich einen Knallbonbon
20 ziehe..."

„Nun?"

„Da darf nichts von Hölle vorkommen, da will ich nich hören, daß es so was gibt."

„Ich auch nicht", lachte Lene. „Frau Dörr hat ganz
25 recht; sie hat überhaupt immer recht. Aber das ist wahr, wenn man solchen Vers liest, da hat man immer gleich was zum Anfangen, ich meine zum Anfangen mit der Unterhaltung, denn anfangen is immer das Schwerste, gerade wie beim Briefschreiben; und ich kann mir
30 eigentlich keine Vorstellung machen, wie man mit so viel fremden Damen (und ihr kennt euch doch nicht alle) so gleich mir nichts, dir nichts ein Gespräch anfan-gen kann."

„Ach, meine liebe Lene", sagte Botho, „das ist nicht
35 so schwer, wie du denkst. Es ist sogar ganz leicht. Und wenn du willst, will ich dir gleich eine Tischunterhal-tung vormachen."

23

Frau Dörr und Frau Nimptsch drückten ihre Freude darüber aus und auch Lene nickte zustimmend.

„Nun", fuhr Baron Botho fort, „denke dir also, du wärst eine kleine Gräfin. Und eben hab ich dich zu Tische geführt und Platz genommen und nun sind wir beim ersten Löffel Suppe."

„Gut. Gut. Aber nun?"

„Und nun sag ich: Irr ich nicht, meine gnädigste Komtesse, so sah ich Sie gestern in der Flora, Sie und Ihre Frau Mama. Nicht zu verwundern. Das Wetter lockt ja jetzt täglich heraus und man könnte schon von Reisewetter sprechen. Haben Sie Pläne, Sommerpläne, meine gnädigste Gräfin? Und nun antwortest du, daß leider noch nichts feststünde, weil der Papa durchaus nach dem Bayrischen wolle, daß aber die Sächsische Schweiz mit dem Königstein und der Bastei dein Herzenswunsch wäre."

„Das ist es auch wirklich", lachte Lene.

„Nun sieh, das trifft sich gut. Und so fahr ich denn fort: Ja, gnädigste Komtesse, da begegnen sich unsere Geschmacksrichtungen. Ich ziehe die Sächsische Schweiz ebenfalls jedem anderen Teile der Welt vor, namentlich auch der eigentlichen Schweiz. Man kann nicht immer große Natur schwelgen, nicht immer klettern und außer Atem sein. Aber Sächsische Schweiz! Himmlisch, ideal. Da hab ich Dresden; in einer Viertel- oder halben Stunde bin ich da, da seh ich Bilder, Theater, Großen Garten, Zwinger, Grünes Gewölbe. Versäumen Sie nicht, sich die Kanne mit den Törichten Jungfrauen zeigen zu lassen, und vor allem den Kirschkern, auf dem das ganze Vaterunser steht. Alles bloß durch die Lupe zu sehen."

„Und so sprecht ihr!"

„Ganz so, mein Schatz. Und wenn ich mit meiner Nachbarin zur Linken, also mit Komtesse Lene fertig bin, so wend ich mich zu meiner Nachbarin zur Rechten, also zu Frau Baronin Dörr..."

Die Dörr schlug vor Entzücken mit der Hand aufs
Knie, daß es einen lauten Puff gab...

„Zu Frau Baronin Dörr also. Und spreche nun worüber? Nun, sagen wir über Morcheln."

„Aber mein Gott, Morcheln. Über Morcheln, Herr
Baron, das geht doch nicht."

„O warum nicht, warum soll es nicht gehen, liebe
Frau Dörr? Das ist ein sehr ernstes und lehrreiches Gespräch und hat für manche mehr Bedeutung als Sie
glauben. Ich besuchte mal einen Freund in Polen, Re-
giments- und Kriegskameraden, der ein großes Schloß
bewohnte, rot und mit zwei dicken Türmen, und so
furchtbar alt, wie's eigentlich gar nicht mehr vorkommt.
Und das letzte Zimmer war sein Wohnzimmer; denn
er war unverheiratet, weil er ein Weiberfeind war..."

„Ist es möglich?"

„Und überall waren morsche, durchgetretene Dielen
und immer, wo ein paar Dielen fehlten, da war ein
Morchelbeet und an all den Morchelbeeten ging ich vorbei, bis ich zuletzt in sein Zimmer kam."

„Ist es möglich?" wiederholte die Dörr und setzte
hinzu: „Morcheln. Aber man kann doch nicht immer
von Morcheln sprechen."

„Nein, nicht immer. Aber oft oder wenigstens manch-
mal und eigentlich ist es ganz gleich, wovon man spricht.
Wenn es nicht Morcheln sind, sind es Champignons
und wenn es nicht das rote polnische Schloß ist, dann
ist es Schlößchen Tegel oder Saatwinkel, oder Valentinswerder. Oder Italien oder Paris, oder die Stadtbahn, oder ob die Panke zugeschüttet werden soll. Es
ist alles ganz gleich. Über jedes kann man ja was sagen und ob's einem gefällt oder nicht. Und ‚ja' ist ge-
radesoviel wie ‚nein'."

„Aber", sagte Lene, „wenn es alles so redensartlich
ist, da wundert es mich, daß ihr solche Gesellschaften
mitmacht."

„O man sieht doch schöne Damen und Toiletten und

mitunter auch Blicke, die, wenn man gut aufpaßt, einem eine ganze Geschichte verraten. Und jedenfalls dauert es nicht lange, so daß man immer noch Zeit hat, im Klub alles nachzuholen. Und im Klub ist es wirklich reizend, da hören die Redensarten auf und die Wirklichkeiten fangen an. Ich habe gestern Pitt seine Graditzer Rappstute abgenommen."

„Wer ist Pitt?"

„Ach, das sind so Namen, die wir nebenher führen, und wir nennen uns so, wenn wir unter uns sind. Der Kronprinz sagt auch Vicky, wenn er Viktoria meint. Es ist ein wahres Glück, daß es solche Liebes- und Zärtlichkeitsnamen gibt. Aber horch, eben fängt drüben das Konzert an. Können wir nicht die Fenster aufmachen, daß wir's besser hören? Du wippst ja schon mit der Fußspitze hin und her. Wie wär' es, wenn wir anträten und einen Contre versuchten oder eine Française? Wir sind drei Paare: Vater Dörr und meine gute Frau Nimptsch und dann Frau Dörr und ich (ich bitte um die Ehre) und dann kommt Lene mit Hans."

Frau Dörr war sofort einverstanden, Dörr und Frau Nimptsch aber lehnten ab, diese weil sie zu alt sei, jener weil er so was Feines nicht kenne.

„Gut, Vater Dörr. Aber dann müssen Sie den Takt schlagen; Lene, gib ihm das Kaffeebrett und einen Löffel. Und nun antreten, meine Damen. Frau Dörr, Ihren Arm. Und nun Hans, aufwachen, flink, flink."

Und wirklich, beide Paare stellten sich auf und Frau Dörr wuchs ordentlich noch an Stattlichkeit, als ihr Partner in einem feierlichen Tanzmeister-Französisch anhob: „En avant deux, Pas de basque." Der sommersprossige, leider noch immer verschlafene Gärtnerjunge sah sich maschinenmäßig und ganz nach Art einer Puppe hin- und hergeschoben, die drei andern aber tanzten wie Leute, die's verstehen, und entzückten den alten Dörr derart, daß er sich von seinem Schemel erhob und statt mit dem Löffel mit seinem Knöchel an das Kaffeebrett schlug. Auch der alten Frau Nimptsch kam die Lust früherer Tage wieder und weil sie nichts Besseres tun konnte, wühlte sie mit dem Feuerhaken so lang in der Kohlenglut umher, bis die Flamme hoch aufschlug.

So ging es, bis die Musik drüben schwieg; Botho führte Frau Dörr wieder an ihren Platz und nur Lene stand noch da, weil der ungeschickte Gärtnerjunge nicht wußte, was er mit ihr machen sollte. Das aber paßte Botho gerade, der, als die Musik drüben wieder anhob, mit Lene zu walzen und ihr zuzuflüstern begann, wie reizend sie sei, reizender denn je.

Sie waren alle warm geworden, am meisten die gerade jetzt am offenen Fenster stehende Frau Dörr. „Jott, mir schuddert so", sagte sie mit einem Male, weshalb Botho verbindlich aufsprang, um die Fenster zu schließen. Aber Frau Dörr wollte davon nichts wissen und behauptete: „was die feinen Leute wären, die wären alle für frische Luft und manche wären so fürs Frische, daß ihnen im Winter das Deckbett an den Mund fröre. Denn Atem wäre dasselbe wie Wrasen, grade wie der, der aus der Tülle käm'. Also die Fenster müßten aufbleiben, davon ließe sie nicht. Aber wenn Lenchen so fürs Innerliche was hätte, so was für Herz und Seele..."

„Gewiß, liebe Frau Dörr; alles was Sie wollen. Ich kann einen Tee machen oder einen Punsch, oder noch besser, ich habe ja noch das Kirschwasser, das Sie Mutter Nimptschen und mir letzten Weihnachten zu der großen Mandelstolle geschenkt haben..."

Und ehe sich Frau Dörr zwischen Punsch und Tee entscheiden konnte, war auch die Kirschwasserflasche schon da, mit Gläsern, großen und kleinen, in die sich nun jeder nach Gutdünken hineintat. Und nun ging Lene, den rußigen Herdkessel in der Hand, reihum und goß das kochsprudelnde Wasser ein. „Nicht zu viel, Leneken, nicht zu viel. Immer aufs Ganze. Wasser nimmt die Kraft." Und im Nu füllte sich der Raum mit dem aufsteigenden Kirschmandelarom.

„Ah, das hast du gut gemacht", sagte Botho, während er aus dem Glase nippte. „Weiß es Gott, ich habe gestern nichts gehabt und heute im Klub erst recht nicht, was mir so geschmeckt hätte. Hoch Lene! Das eigentliche Verdienst in der Sache hat aber doch unsere Freundin, Frau Dörr, ‚weil's ihr so geschuddert hat', und so bring ich denn gleich noch eine zweite Gesundheit aus: Frau Dörr, sie lebe hoch."

„Sie lebe hoch", riefen alle durcheinander, und der alte Dörr schlug wieder mit seinem Knöchel ans Brett.

Alle fanden, daß es ein feines Getränk sei, viel feiner als Punschextrakt, der im Sommer immer nach bittrer Zitrone schmecke, weil es meistens alte Flaschen seien, die schon, von Fastnacht an, im Ladenfenster in der grellen Sonne gestanden hätten. Kirschwasser aber, das sei was Gesundes und nie verdorben, und ehe man sich mit dem Bittermandelgift vergifte, da müßte man doch schon was Ordentliches einnehmen, wenigstens eine Flasche.

Diese Bemerkung machte Frau Dörr und der Alte, der es nicht darauf ankommen lassen wollte, vielleicht weil er diese hervorragendste Passion seiner Frau kannte, drang auf Aufbruch: „Morgen sei auch noch ein Tag."

Botho und Lene redeten zu, doch noch zu bleiben. Aber die gute Frau Dörr, die wohl wußte, „daß man zu Zeiten nachgeben müsse, wenn man die Herrschaft behalten wolle", sagte nur: „Laß, Leneken, ich kenn ihn; er geht nu mal mit die Hühner zu Bett." „Nun", sagte Botho, „wenn es beschlossen ist, ist es beschlossen. Aber dann begleiten wir die Familie Dörr bis an ihr Haus."

Und damit brachen alle auf und ließen nur die alte Frau Nimptsch zurück, die den Abgehenden freundlich und kopfnickend nachsah und dann aufstand und sich in den Großvaterstuhl setzte.

FÜNFTES KAPITEL

Vor dem „Schloß" mit dem grün und rotgestrichenen
Turme machten Botho und Lene halt und baten Dörr
in aller Förmlichkeit um Erlaubnis, noch in den Garten
5 gehn und eine halbe Stunde darin promenieren zu dürfen. Der Abend sei so schön. Vater Dörr brummelte,
daß er sein Eigentum in keinem beßren Schutz lassen
könne, worauf das junge Paar unter artigen Verbeu-
gungen Abschied nahm und auf den Garten zuschritt.
10 Alles war schon zur Ruh', und nur Sultan, an dem sie
vorbei mußten, richtete sich hoch auf und winselte so
lange, bis ihn Lene gestreichelt hatte. Dann erst kroch
er wieder in seine Hütte zurück.

Drinnen im Garten war alles Duft und Frische, denn
15 den ganzen Hauptweg hinauf, zwischen den Johannis-
und Stachelbeersträuchern, standen Levkojen und Reseda, deren feiner Duft sich mit dem kräftigeren der
Thymianbeete mischte. Nichts regte sich in den Bäumen,
und nur Leuchtkäfer schwirrten durch die Luft.
20 Lene hatte sich in Bothos Arm gehängt und schritt
mit ihm auf das Ende des Gartens zu, wo, zwischen
zwei Silberpappeln, eine Bank stand.

„Wollen wir uns setzen?"

„Nein", sagte Lene, „nicht jetzt", und bog in einen
25 Seitenweg ein, dessen hochstehende Himbeerbüsche fast
über den Gartenzaun hinauswuchsen. „Ich gehe so gern
an deinem Arm. Erzähle mir etwas. Aber etwas recht
Hübsches. Oder frage."

„Gut. Ist es dir recht, wenn ich mit den Dörrs an-
30 fange?"

„Meinetwegen."

„Ein sonderbares Paar. Und dabei, glaub ich, glücklich. Er muß tun was sie will und ist doch um vieles
klüger."

35 „Ja", sagte Lene, „klüger ist er, aber auch geizig und
hartherzig und das macht ihn gefügig, weil er bestän-

dig ein schlechtes Gewissen hat. Sie sieht ihm scharf auf die Finger und leidet es nicht, wenn er jemand übervorteilen will. Und das ist es, wovor er Furcht hat und was ihn nachgiebig macht."

„Und weiter nichts?"   5

„Vielleicht auch noch Liebe, so sonderbar es klingt. Das heißt Liebe von seiner Seite. Denn trotz seiner Sechsundfünfzig oder mehr ist er noch wie vernarrt in seine Frau und bloß weil sie groß ist. Beide haben mir die wunderlichsten Geständnisse darüber gemacht. Ich   10 bekenne dir offen, mein Geschmack wäre sie nicht."

„Da hast du aber unrecht, Lene; sie macht eine Figur."

„Ja", lachte Lene, „sie macht eine Figur, aber sie hat keine. Siehst du denn gar nicht, daß ihr die Hüften   15 eine Hand breit zu hoch sitzen? Aber so was seht ihr nicht und ,Figur' und ,stattlich' ist immer euer drittes Wort, ohne daß sich wer drum kümmert, wo denn die Stattlichkeit eigentlich herkommt."

So plaudernd und neckend blieb sie stehn und bückte   20 sich, um auf einem langen und schmalen Erdbeerbeete, das sich in Front von Zaun und Hecke hinzog, nach einer Früherdbeere zu suchen. Endlich hatte sie, was sie wollte, nahm das Stengelchen eines wahren Prachtexemplares zwischen die Lippen und trat vor ihn hin   25 und sah ihn an.

Er war auch nicht säumig, pflückte die Beere von ihrem Munde fort und umarmte sie und küßte sie.

„Meine süße Lene, das hast du recht gemacht. Aber höre nur, wie Sultan blafft; er will bei dir sein; soll ich   30 ihn losmachen?"

„Nein, wenn er hier ist, hab ich dich nur noch halb. Und sprichst du dann gar noch von der stattlichen Frau Dörr, so hab ich dich so gut wie gar nicht mehr."

„Gut", lachte Botho, „Sultan mag bleiben, wo er ist.   35 Ich bin es zufrieden. Aber von Frau Dörr muß ich noch weiter sprechen. Ist sie wirklich so gut?"

„Ja, das ist sie, trotzdem sie sonderbare Dinge sagt, Dinge, die wie Zweideutigkeiten klingen und es auch sein mögen. Aber sie weiß nichts davon und in ihrem Tun und Wandel ist nicht das Geringste, was an ihre Vergangenheit erinnern könnte."

„Hat sie denn eine?"

„Ja. Wenigstens stand sie jahrelang in einem Verhältnis und ‚ging mit ihm', wie sie sich auszudrücken pflegt. Und darüber ist wohl kein Zweifel, daß über dies Verhältnis und natürlich auch über die gute Frau Dörr selbst viel, sehr viel geredet worden ist. Und sie wird auch Anstoß über Anstoß gegeben haben. Nur sie selber hat sich in ihrer Einfalt nie Gedanken darüber gemacht und noch weniger Vorwürfe. Sie spricht davon wie von einem unbequemen Dienst, den sie getreulich und ehrlich erfüllt hat, bloß aus Pflichtgefühl. Du lachst und es klingt auch sonderbar genug. Aber es läßt sich nicht anders sagen. Und nun lassen wir die Frau Dörr und setzen uns lieber und sehen in die Mondsichel."

Wirklich, der Mond stand drüben über dem Elefantenhause, das in dem niederströmenden Silberlichte noch phantastischer aussah als gewöhnlich. Lene wies darauf hin, zog die Mantelkapuze fester zusammen und barg sich an seine Brust.

So vergingen ihr Minuten, schweigend und glücklich, und erst als sie sich wie von einem Traume, der sich doch nicht festhalten ließ, wieder aufrichtete, sagte sie: „Woran hast du gedacht? Aber du mußt mir die Wahrheit sagen."

„Woran ich dachte, Lene? Ja, fast schäm ich mich, es zu sagen. Ich hatte sentimentale Gedanken und dachte nach Haus hin an unsren Küchengarten in Schloß Zehden, der genauso daliegt wie dieser Dörrsche, dieselben Salatbeete mit Kirschbäumen dazwischen und ich möchte wetten auch ebenso viele Meisenkästen. Und auch die Spargelbeete liefen so hin. Und dazwischen ging ich mit meiner Mutter und wenn sie guter Laune war, gab sie mir das Messer und erlaubte, daß ich ihr half. Aber weh mir, wenn ich ungeschickt war und die Spargelstange zu lang oder zu kurz abstach. Meine Mutter hatte eine rasche Hand."

„Glaub's. Und mir ist immer, als ob ich Furcht vor ihr haben müßte." 5

„Furcht? Wie das? Warum, Lene?"

Lene lachte herzlich und doch war eine Spur von Gezwungenheit darin. „Du mußt nicht gleich denken, daß ich vorhabe, mich bei der Gnädigen melden zu lassen, 10 und darfst es nicht anders nehmen, als ob ich gesagt hätte, ich fürchte mich vor der Kaiserin. Würdest du deshalb denken, daß ich zu Hofe wollte? Nein, ängstige dich nicht; ich verklage dich nicht."

„Nein, das tust du nicht. Dazu bist du viel zu stolz 15 und eigentlich eine kleine Demokratin und ringst dir jedes freundliche Wort nur so von der Seele. Hab ich recht? Aber wie's auch sei, mache dir auf gut Glück hin ein Bild von meiner Mutter. Wie sieht sie aus?"

„Genauso wie du: groß und schlank und blauäugig 20 und blond."

„Arme Lene" (und das Lachen war diesmal auf seiner Seite), „da hast du fehlgeschossen. Meine Mutter ist eine kleine Frau mit lebhaften schwarzen Augen und einer großen Nase." 25

„Glaub es nicht. Das ist nicht möglich."

„Und ist doch so. Du mußt nämlich bedenken, daß ich auch einen Vater habe. Aber das fällt euch nie ein. Ihr denkt immer, ihr seid die Hauptsache. Und nun sage mir noch etwas über den Charakter meiner Mutter. 30 Aber rate besser."

„Ich denke mir sie sehr besorgt um das Glück ihrer Kinder."

„Getroffen..."

„...Und daß all ihre Kinder reiche, das heißt sehr 35 reiche Partien machen. Und ich weiß auch, wen sie für dich in Bereitschaft hält."

„Eine Unglückliche, die du…"

„Wie du mich verkennst. Glaube mir, daß ich dich habe, diese Stunde habe, das ist mein Glück. Was daraus wird, das kümmert mich nicht. Eines Tages bist du weggeflogen…"

Er schüttelte den Kopf.

„Schüttle nicht den Kopf; es ist so, wie ich sage. Du liebst mich und bist mir treu, wenigstens bin ich in meiner Liebe kindisch und eitel genug, es mir einzubilden. Aber wegfliegen wirst du, das seh ich klar und gewiß. Du wirst es müssen. Es heißt immer, die Liebe mache blind, aber sie macht auch hell und fernsichtig."

„Ach, Lene, du weißt gar nicht, wie lieb ich dich habe."

„Doch, ich weiß es. Und weiß auch, daß du deine Lene für was Besondres hältst und jeden Tag denkst, ‚wenn sie doch eine Gräfin wäre'. Damit ist es nun aber zu spät, das bring ich nicht mehr zuwege. Du liebst mich und bist schwach. Daran ist nichts zu ändern. Alle schönen Männer sind schwach und der Stärkre beherrscht sie… Und der Stärkre… ja, wer ist dieser Stärkre? Nun entweder ist's deine Mutter, oder das Gerede der Menschen, oder die Verhältnisse. Oder vielleicht alles drei… Aber sieh nur."

Und sie wies nach dem Zoologischen hinüber, aus dessen Baum- und Blätterdunkel eben eine Rakete zischend in die Luft fuhr und mit einem Puff in zahllose Schwärmer zerstob. Eine zweite folgte der ersten und so ging es weiter, als ob sie sich jagen und überholen wollten, bis es mit einem Male vorbei war und die Gebüsche drüben in einem grünen und roten Lichte zu glühen anfingen. Ein paar Vögel in ihren Käfigen kreischten dazwischen, und dann fiel nach einer langen Pause die Musik wieder ein.

„Weißt du, Botho, wenn ich dich nun so nehmen und mit dir die Lästerallee drüben auf und ab schreiten könnte, so sicher wie hier zwischen den Buchsbaumrabatten, und könnte jedem sagen: ‚Ja wundert euch nur, er ist er und ich bin ich, und er liebt mich und ich liebe ihn' – ja Botho, was glaubst du wohl, was ich dafür gäbe? Aber rate nicht, du rätst es doch nicht. Ihr kennt ja nur euch und euren Klub und euer Leben. Ach, das arme bißchen Leben."

„Sprich nicht so, Lene."

„Warum nicht? Man muß allem ehrlich ins Gesicht sehn und sich nichts weismachen lassen und vor allem sich selber nichts weismachen. Aber es wird kalt und drüben ist es auch vorbei. Das ist das Schlußstück, das sie jetzt spielen. Komm, wir wollen uns drin an den Herd setzen, das Feuer wird noch nicht aus sein und die Alte ist längst zu Bett."

So gingen sie, während sie sich leicht an seine Schulter lehnte, den Gartensteig wieder hinauf. Im „Schloß" brannte kein Licht mehr, und nur Sultan, den Kopf aus seiner Hütte vorstreckend, sah ihnen nach. Aber er rührte sich nicht und hatte bloß mürrische Gedanken.

SECHSTES KAPITEL

Es war die Woche danach, und die Kastanien hatten bereits abgeblüht; auch in der Bellevuestraße. Hier hatte Baron Botho von Rienäcker eine zwischen einem Front- und einem Gartenbalkon gelegene Parterrewohnung inne: Arbeitszimmer, Eßzimmer, Schlafzimmer, die sich sämtlich durch eine geschmackvolle, seine Mittel ziemlich erheblich übersteigende Einrichtung auszeichneten. In dem Eßzimmer befanden sich zwei Hertelsche Stillleben und dazwischen eine Bärenhatz, wertvolle Kopie nach Rubens, während in dem Arbeitszimmer ein Andreas Achenbachscher Seesturm, umgeben von einigen kleineren Bildern desselben Meisters, paradierte. Der Seesturm war ihm bei Gelegenheit einer Verlosung

34

zugefallen, und an diesem schönen und wertvollen Besitze hatte er sich zum Kunstkenner und speziell zum Achenbach-Enthusiasten herangebildet. Er scherzte gern darüber und pflegte zu versichern, „daß ihm sein Lotterieglück, weil es ihn zu beständig neuen Ankäufen verführt habe, teuer zu stehn gekommen sei", hinzusetzend, „daß es vielleicht mit jedem Glücke dasselbe sei".

Vor dem Sofa, dessen Plüsch mit einem persischen Teppich überdeckt war, stand auf einem Malachittischchen das Kaffeegeschirr, während auf dem Sofa selbst allerlei politische Zeitungen umherlagen, unter ihnen auch solche, deren Vorkommen an dieser Stelle ziemlich verwunderlich war und nur aus dem Baron Bothoschen Lieblingssatze „Schnack gehe vor Politik" erklärt werden konnte. Geschichten, die den Stempel der Erfindung an der Stirn trugen, sogenannte „Perlen", amüsierten ihn am meisten. Ein Kanarienvogel, dessen Bauer während der Frühstückszeit allemal offenstand, flog auch heute wieder auf Hand und Schulter seines ihn nur zu sehr verwöhnenden Herrn, der, anstatt ungeduldig zu werden, das Blatt jedesmal beiseite tat, um den kleinen Liebling zu streicheln. Unterließ er es aber, so drängte sich das Tierchen an Hals und Bart des Lesenden und piepte so lang und eigensinnig, bis ihm der Wille getan war. „Alle Lieblinge sind gleich", sagte Baron Rienäcker, „und fordern Gehorsam und Unterwerfung."

In diesem Augenblicke ging die Korridorklingel, und der Diener trat ein, um die draußen abgegebenen Briefe zu bringen. Der eine, graues Kuvert in Quadrat, war offen und mit einer Dreipfennigmarke frankiert. „Hamburger Lotterielos oder neue Zigarren", sagte Rienäcker und warf Kuvert und Inhalt, ohne weiter nachzusehen, beiseite. „Aber das hier… Ah, von Lene. Nun den verspare ich mir bis zuletzt, wenn ihm dieser dritte, gesiegelte, nicht den Rang streitig macht. Ostensches Wappen. Also von Onkel Kurt Anton; Poststempel ‚Berlin‘, will sagen: schon da. Was wird er nur wollen? Zehn gegen eins, ich soll mit ihm frühstücken oder einen Sattel kaufen oder ihn zu Renz begleiten, vielleicht auch zu Kroll; am wahrscheinlichsten das eine tun und das andere nicht lassen.“

Und er schnitt das Kuvert, auf dem er auch Onkel Ostens Handschrift erkannt hatte, mit einem auf dem Fensterbrett liegenden Messerchen auf und nahm den Brief heraus. Der aber lautete:

„Hotel Brandenburg, Nummer 15. Mein lieber Botho. Vor einer Stunde bin ich hier unter eurer alten Berliner Devise ‚vor Taschendieben wird gewarnt‘, auf dem Ostbahnhofe glücklich eingetroffen und habe mich in Hotel Brandenburg einquartiert, will sagen an alter Stelle; was ein richtiger Konservativer ist, ist es auch in kleinen Dingen. Ich bleibe nur zwei Tage, denn eure Luft drückt mich. Es ist ein stickiges Nest. Alles andre mündlich. Ich erwarte Dich ein Uhr bei Hiller. Dann wollen wir einen Sattel kaufen. Und dann abends zu Renz. Sei pünktlich. Dein alter Onkel Kurt Anton.“

Rienäcker lachte. „Dacht’ ich’s doch! Und doch eine Neuerung. Früher war es Borchardt, jetzt Hiller. Ei, ei, Onkelchen, was ein richtiger Konservativer ist, ist es auch in kleinen Dingen... Und nun meine liebe Lene... Was Onkel Kurt Anton wohl sagen würde, wenn er wüßte, in welcher Begleitung sein Brief und seine Befehle hier eingetroffen sind.“

Und während er so sprach, erbrach er Lenes Billett und las.

„Es sind nun schon volle fünf Tage, daß ich Dich nicht gesehen habe. Soll es eine volle Woche werden? Und ich dachte, Du müßtest den andern Tag wiederkommen, so glücklich war ich ihn den Abend. Und Du warst so lieb und gut. Mutter neckt mich schon und sagt: ‚Er kommt nicht wieder.‘ Ach, wie mir das immer einen Stich ins Herz gibt, weil es ja mal so kommen muß und weil ich fühle, daß es jeden Tag kommen

kann. Daran wurd' ich gestern wieder erinnert. Denn wenn ich Dir eben schrieb, ich hätte Dich fünf Tage lang nicht gesehen, so hab ich nicht die Wahrheit gesagt, ich h a b e Dich gesehn, gestern, aber heimlich, ver-
5 stohlen, auf dem Korso. Denke Dir, ich war auch da, natürlich weit zurück in einer Seiten-Alleh und habe Dich eine Stunde lang auf- und abreiten sehn. Ach, ich freute mich über die Maßen, denn Du warst der stattlichste (beinah so stattlich wie Frau Dörr, die sich Dir
10 empfehlen läßt) und ich hatte solchen Stolz Dich zu sehn, daß ich nicht einmal eifersüchtig wurde. Nur einmal kam es. Wer war denn die schöne Blondine, mit den zwei Schimmeln, die ganz in einer Blumengirrlande gingen? Und die Blumen so dicht, ganz ohne Blatt und
15 Stiehl. So was Schönes hab ich all mein Lebtag nicht gesehn. Als Kind hätt' ich gedacht, es müss' eine Prinzessin sein, aber jetzt weiß ich, daß Prinzessinnen nicht immer die schönsten sind. Ja, sie war schön und gefiehl Dir, ich sah es wohl, und Du gefiehlst ihr auch. Aber
20 die Mutter, die neben der schönen Blondine saß, der gefiehlst Du noch besser. Und das ärgerte mich. Einer ganz jungen gönne ich Dich, wenn's durchaus sein muß. Aber einer alten! Und nun gar einer Mama? Nein, nein, die hat ihr Teil. Jedenfalls, mein einziger Botho,
25 siehst Du, daß Du mich wieder gut machen und beruhigen mußt. Ich erwarte Dich morgen oder übermorgen. Und wenn Du nicht Abend kannst, so komme bei Tag und wenn es nur eine Minute wäre. Ich habe solche Angst um Dich, das heißt eigentlich um mich. Du
30 verstheest mich schon. Deine Lene."

„Deine Lene", sprach er, die Briefunterschrift wiederholend, noch einmal vor sich hin und eine Unruhe bemächtigte sich seiner, weil ihm allerwiderstreitendste Gefühle durchs Herz gingen: Liebe, Sorge, Furcht.
35 Dann durchlas er den Brief noch einmal. An zwei, drei Stellen konnt' er sich nicht versagen, ein Strichelchen mit dem silbernen Crayon zu machen, aber nicht aus

Schulmeisterei, sondern aus eitel Freude. „Wie gut sie schreibt! Kalligraphisch gewiß und orthographisch beinah... Stiehl statt Stiel... Ja, warum nicht? Stiehl war eigentlich ein gefürchteter Schulrat, aber, Gott sei Dank, ich bin keiner. Und ‚emphehlen'. Soll ich wegen f und h mit ihr zürnen? Großer Gott, wer kann ‚empfehlen' richtig schreiben? Die ganz jungen Komtessen nicht immer und die ganz alten nie. Also was schadt's! Wahrhaftig, der Brief ist wie Lene selber, gut, treu, zuverlässig und die Fehler machen ihn nur noch reizender."

Er lehnte sich in den Stuhl zurück und legte die Hand über Stirn und Augen: „Arme Lene, was soll werden! Es wär' uns beiden besser gewesen, der Ostermontag wäre diesmal ausgefallen. Wozu gibt es auch zwei Feiertage? Wozu Treptow und Stralau und Wasserfahrten? Und nun der Onkel! Entweder kommt er wieder als Abgesandter von meiner Mutter oder er hat Pläne für mich aus sich selbst, aus eigner Initiative. Nun, ich werde ja sehen. Eine diplomatische Verstellungsschule hat er nicht durchgemacht, und wenn er zehn Eide geschworen hat zu schweigen, es kommt doch heraus. Ich will's schon erfahren, trotzdem ich in der Kunst der Intrige gleich nach ihm selber komme."

Dabei zog er ein Fach seines Schreibtisches auf, darin, von einem roten Bändchen umwunden, schon andere Briefe Lenens lagen. Und nun klingelte er nach dem Diener, der ihm beim Ankleiden behilflich sein sollte. „So, Johann, das wäre getan... Und nun vergiß nicht, die Jalousien herunterzulassen. Und wenn wer kommt und nach mir fragt, bis zwölf bin ich in der Kaserne, nach ein bei Hiller und am Abend bei Renz. Und zieh auch die Jalousien zu rechter Zeit wieder auf, daß ich nicht wieder einen Brütofen vorfinde. Und laß die Lampe vorn brennen. Aber nicht in meinem Schlafzimmer; die Mücken sind wie toll in diesem Jahr. Verstanden?"

„Zu Befehl, Herr Baron."

Und unter diesem Gespräche, das schon halb im Korridor geführt worden war, trat Rienäcker in den Hausflur, ziepte draußen im Vorgarten die dreizehnjährige, sich gerad über den Wagen ihres kleinen Bruders beugende Portiertochter von hinten her am Zopf und empfing einen wütenden, aber im Erkennungsmoment ebenso rasch in Zärtlichkeit übergehenden Blick als Antwort darauf.

Und nun erst trat er durch die Gittertür auf die Straße. Hier sah er, unter der grünen Kastanienlaube hin, abwechselnd auf das Tor und dann wieder nach dem Tiergarten zu, wo sich, wie auf einem Cameraobscura-Glase, die Menschen und Fuhrwerke geräuschlos hin und her bewegten. „Wie schön. Es ist doch wohl eine der besten Welten."

SIEBENTES KAPITEL

Um Zwölf war der Dienst in der Kaserne getan und Botho von Rienäcker ging die Linden hinunter aufs Tor zu, lediglich in der Absicht, die Stunde bis zum Rendezvous bei Hiller, so gut sich's tun ließ, auszufüllen. Zwei, drei Bilderläden waren ihm dabei sehr willkommen. Bei Lepke standen ein paar Oswald Achenbachs im Schaufenster, darunter eine palermitanische Straße, schmutzig und sonnig, und von einer geradezu frappierenden Wahrheit des Lebens und Kolorits. „Es gibt doch Dinge, worüber man nie ins reine kommt. So mit den Achenbachs. Bis vor kurzem hab ich auf Andreas geschworen; aber wenn ich so was sehe wie das hier, so weiß ich nicht, ob ihm der Oswald nicht gleichkommt oder ihn überholt. Jedenfalls ist er bunter und mannigfacher. All dergleichen aber ist mir bloß zu denken erlaubt, vor den Leuten es aussprechen, hieße meinen ‚Seesturm' ohne Not auf den halben Preis herabsetzen."

Unter solchen Betrachtungen stand er eine Zeitlang vor dem Lepkeschen Schaufenster und ging dann, über den Pariser Platz hin, auf das Tor und die schräg links führende Tiergartenallee zu, bis er vor der Wolfschen Löwengruppe halt machte. Hier sah er nach der Uhr. „Halb eins. Also Zeit." Und so wandt' er sich wieder, um auf demselben Wege nach den „Linden" hin zurückzukehren. Vor dem Redernschen Palais sah er Leutnant von Wedell von den Garde-Dragonern auf sich zukommen.

„Wohin, Wedell?"

„In den Klub. Und Sie?"

„Zu Hiller."

„Etwas früh."

„Ja. Aber was hilft's? Ich soll mit einem alten Onkel von mir frühstücken, neumärkisch Blut und just in dem Winkel zu Hause, wo Bentsch, Rentsch, Stentsch liegen – lauter Reimwörter auf Mensch, selbstverständlich ohne weitere Konsequenz oder Verpflichtung. Übrigens hat er, ich meine den Onkel, mal in Ihrem Regiment gestanden. Freilich lange her, erste vierziger Jahre. Baron Osten."

„Der Wietzendorfer?"

„Eben der."

„O den kenn ich, d. h. dem Namen nach. Etwas Verwandtschaft. Meine Großmutter war eine Osten. Ist doch derselbe, der mit Bismarck auf dem Kriegsfuß steht?"

„Derselbe. Wissen Sie was, Wedell, kommen Sie mit. Der Klub läuft Ihnen nicht weg und Pitt und Serge auch nicht; Sie finden sie um drei geradsogut wie um eins. Der Alte schwärmt noch immer für Dragonerblau mit Gold und ist Neumärker genug, um sich über jeden Wedell zu freuen."

„Gut, Rienäcker. Aber auf Ihre Verantwortung."

„Mit Vergnügen."

Unter solchem Gespräche waren sie bei Hiller angelangt, wo der alte Baron bereits an der Glastür stand und ausschaute, denn es war eine Minute nach eins. Er unterließ aber jede Bemerkung und war augenscheinlich erfreut, als Botho vorstellte: „Leutnant von Wedell."

„Ihr Herr Neffe..."

„Nichts von Entschuldigungen, Herr von Wedell, alles, was Wedell heißt, ist mir willkommen und wenn es diesen Rock trägt, doppelt und dreifach. Kommen Sie, meine Herren, wir wollen uns aus diesem Stuhl- und Tischdefilee herausziehen und so gut es geht, nach rückwärts hin konzentrieren. Sonst nicht Preußensache; hier aber ratsam."

Und damit ging er, um gute Plätze zu finden, vorauf und wählte nach Einblick in verschiedene kleine Kabinetts schließlich ein mäßig großes, mit einem lederfarbnen Stoff austapeziertes Zimmer, das trotz eines breiten und dreigeteilten Fensters wenig Licht hatte, weil es auf einen engen und dunklen Hof sah. Von einem hier zu vier gedeckten Tisch wurde im Nu das vierte Kuvert entfernt, und während die beiden Offiziere Pallasch und Säbel in die Fensterecke stellten, wandte sich der alte Baron an den Oberkellner, der in einiger Entfernung gefolgt war, und befahl einen Hummer und einen weißen Burgunder. „Aber welchen, Botho?"

„Sagen wir Chablis."

„Gut, Chablis. Und frisches Wasser. Aber nicht aus der Leitung; lieber so, daß die Karaffe beschlägt. Und nun meine Herren, bitte Platz zu nehmen: lieber Wedell hier, Botho du da. Wenn nur diese Glut, diese verfrühte Hundstagshitze nicht wäre. Luft, meine Herren, Luft. Ihr schönes Berlin, das immer schöner wird (so versichern eine wenigstens alle, die nichts Besseres kennen), Ihr schönes Berlin hat alles, aber keine Luft." Und dabei riß er die großen Fensterflügel auf und setzte sich so, daß er die breite Mittelöffnung gerade vor sich hatte.

Der Hummer war noch nicht gekommen, aber der Chablis stand schon da. Voll Unruhe nahm der alte Osten eins der Brötchen aus dem Korb und schnitt es mit ebensoviel Hast wie Virtuosität in Schrägstücke, bloß um etwas zu tun zu haben. Dann ließ er das Messer wieder fallen und reichte Wedell die Hand. „Ihnen unendlich verbunden, Herr von Wedell, und brillanter Einfall von Botho, Sie dem Klub auf ein paar Stunden abspenstig gemacht zu haben. Ich nehm es als eine gute Vorbedeutung, gleich bei meinem ersten Ausgang in Berlin einen Wedell begrüßen zu dürfen."

Und nun begann er einzuschenken, weil er seiner Unruhe nicht länger Herr bleiben konnte, befahl, eine Cliquot kalt zu stellen, und fuhr dann fort: „Eigentlich, lieber Wedell, sind wir verwandt; es gibt keine Wedells, mit denen wir nicht verwandt wären, und wenn's auch bloß durch einen Scheffel Erbsen wäre; neumärkisch Blut ist in allen. Und wenn ich nun gar mein altes Dragonerblau wiedersehe, da schlägt mir das Herz bis in den Hals hinein. Ja, Herr von Wedell, alte Liebe rostet nicht. Aber da kommt der Hummer... Bitte, hier die große Schere. Die Scheren sind immer das Beste... Aber, was ich sagen wollte, alte Liebe rostet nicht und der Schneid auch nicht. Und ich setze hinzu, Gott sei Dank. Damals hatten wir noch den alten Dobeneck. Himmelwetter, war d a s ein Mann! Ein Mann wie ein Kind. Aber wenn es mal schlecht ging und nicht klappen wollte, wenn er einen dann ansah, d e n hätt' ich sehen wollen, der den Blick ausgehalten hätte. Richtiger alter Ostpreuße noch von Anno 13 und 14 her. Wir fürchteten ihn, aber wir liebten ihn auch. Denn er war wie ein Vater. Und, wissen Sie, Herr von Wedell, wer mein Rittmeister war...?"

In diesem Augenblicke kam auch der Champagner.

„Mein Rittmeister war Manteuffel, derselbe, dem wir alles verdanken, der uns die Armee gemacht hat und mit der Armee den Sieg."

Herr von Wedell verbeugte sich, während Botho leichthin sagte: „Gewiß, man kann es sagen."

Aber das war nicht klug und weise von Botho, wie sich gleich herausstellen sollte, denn der ohnehin an Kongestionen leidende alte Baron wurde rot über den ganzen kahlen Kopf weg und das bißchen krause Haar an seinen Schläfen schien noch krauser werden zu wollen. „Ich verstehe dich nicht, Botho; was soll dies ‚Man kann es sagen', das heißt so viel wie ‚man kann es auch nicht sagen'. Und ich weiß auch, worauf das alles hinaus will. Es will andeuten, daß ein gewisser Kürassieroffizier aus der Reserve, der im übrigen mit nichts in Reserve gehalten hat, am wenigsten mit revolutionären Maßnahmen, es will andeuten, sag ich, daß ein gewisser Halberstädter mit schwefelgelbem Kragen eigentlich auch St. Privat allerpersönlichst gestürmt und um Sedan herum den großen Zirkel gezogen habe. Botho, damit darfst du mir nicht kommen. Er war ein Referendar und hat auf der Potsdamer Regierung gearbeitet, sogar unter dem alten Meding, der nie gut auf ihn zu sprechen war, ich weiß das, und hat eigentlich nichts gelernt als Depeschen schreiben. Soviel will ich ihm lassen, d a s versteht er, oder mit andern Worten, er ist ein Federfuchser. Aber nicht die Federfuchser haben Preußen groß gemacht. War der bei Fehrbellin ein Federfuchser? War der bei Leuthen ein Federfuchser? War Blücher ein Federfuchser oder York? H i e r sitzt die preußische Feder. Ich kann diesen Kultus nicht leiden."

„Aber lieber Onkel..."

„Aber, aber, ich dulde kein aber. Glaube mir, Botho, zu solcher Frage, dazu gehören Jahre; derlei Dinge versteh ich besser. Wie steht es denn? Er stößt die Leiter um, drauf er emporgestiegen, und verbietet sogar die Kreuzzeitung und rund heraus, er ruiniert uns; er denkt klein von uns, er sagt uns Sottisen und wenn ihm der Sinn danach steht, verklagt er uns auf Diebstahl oder Unterschlagung und schickt uns auf die Festung. Ach, was sag ich auf die Festung, Festung ist für anständige Leute, nein, ins Landarmenhaus schickt er uns, um Wolle zu zupfen... Aber Luft, meine Herren, Luft. Sie haben keine Luft hier. Verdammtes Nest."

Und er erhob sich und riß zu dem bereits offenstehenden Mittelflügel auch noch die beiden Nebenflügel auf, so daß von dem Zuge, der ging, die Gardinen und das Tischtuch ins Wehen kamen. Dann sich wieder setzend, nahm er ein Stück Eis aus dem Champagnerkühler und fuhr sich damit über die Stirn.

„Ah", fuhr er fort, „das Stück Eis hier, das ist das Beste vom ganzen Frühstück... Und nun sagen Sie, Herr von Wedell, hab ich recht oder nicht? Botho, Hand aufs Herz, hab ich recht? Ist es nicht so, daß man sich als ein Märkischer von Adel aus reiner Edelmannsempörung einen Hochverratsprozeß auf den Leib reden möchte? Solchen Mann... aus unsrer besten Familie... vornehmer als die Bismarcks und so viele für Thron und Hohenzollerntum gefallen, daß man eine ganze Leibkompagnie daraus formieren könnte, Leibkompagnie mit Blechmützen und der Boitzenburger kommandiert sie. Ja, meine Herren. Und solcher Familie solchen Affront. Und warum? Unterschlagung, Indiskretion, Bruch von Amtsgeheimnis. Ich bitte Sie, fehlt nur noch Kindsmord und Vergehen gegen die Sittlichkeit und wahrhaftig es bleibt verwunderlich genug, daß nicht auch d a s noch herausgedrückt worden ist. Aber die Herren schweigen. Ich bitte Sie, sprechen Sie. Glauben Sie mir, daß ich andre Meinungen hören und ertragen kann; ich bin nicht wie er; sprechen Sie, Herr von Wedell, sprechen Sie."

Wedell, in immer wachsender Verlegenheit, suchte nach einem Ausgleichs- und Beruhigungsworte: „Gewiß, Herr Baron, es ist, wie Sie sagen. Aber, Pardon, ich habe damals, als die Sache zum Austrag kam, vielfach aussprechen hören, und die Worte sind mir im Gedächtnis geblieben, daß der Schwächere darauf verzichten müsse, dem Stärkeren die Wege kreuzen zu wollen, das verbiete sich in Leben wie Politik, es sei nun mal so: Macht gehe vor Recht."

„Und kein Widerspruch dagegen, kein Appell?"

„Doch, Herr Baron. Unter Umständen auch ein Appell. Und um nichts zu verschweigen, ich kenne solche Fälle gerechtfertigter Opposition. Was die Schwäche nicht darf, das darf die Reinheit, die Reinheit der Überzeugung, die Lauterkeit der Gesinnung. Die hat das Recht der Auflehnung, sie hat sogar die Pflicht dazu. Wer aber hat diese Lauterkeit? Hatte sie... Doch ich schweige, weil ich weder Sie, Herr Baron, noch die Familie, von der wir sprechen, verletzen möchte. Sie wissen aber, auch ohne daß ich es sage, daß er, der das Wagnis wagte, diese Lauterkeit der Gesinnung nicht hatte. Der bloß Schwächere darf nichts, nur der Reine darf alles."

„Nur der Reine darf alles", wiederholte der alte Baron mit einem so schlauen Gesicht, daß es zweifelhaft blieb, ob er mehr von der Wahrheit oder der Anfechtbarkeit dieser These durchdrungen sei. „Der Reine darf alles. Kapitaler Satz, den ich mir mit nach Hause nehme. Der wird meinem Pastor gefallen, der letzten Herbst den Kampf mit mir aufgenommen und ein Stück von meinem Acker zurückgefordert hat. Nicht seinetwegen, i Gott bewahre, bloß um des Prinzips und seines Nachfolgers willen, dem er nichts vergeben dürfe. Schlauer Fuchs. Aber der Reine darf alles."

„Du wirst schon nachgeben in der Pfarrackerfrage", sagte Botho. „Kenn ich doch Schönemann noch von Sellenthins her."

„Ja, da war er noch Hauslehrer und kannte nichts Besseres als die Schulstunden abkürzen und die Spielstunden in die Länge ziehen. Und konnte Reifen spielen wie ein junger Marquis; wahrhaftig, es war ein Vergnügen, ihm zuzusehen. Aber nun ist er sieben Jahre im Amt und du würdest den Schönemann, der der gnädigen Frau den Hof machte, nicht wiedererkennen. Eins aber muß ich ihm lassen, er hat beide Frölens gut erzogen und am besten deine Käthe…"

Botho sah den Onkel verlegen an, fast als ob er ihn um Diskretion bitten wolle. Der alte Baron aber, überfroh, das heikle Thema so glücklich beim Schopfe gefaßt zu haben, fuhr in überströmender und immer wachsender guter Laune fort: „Ach laß doch, Botho. Diskretion. Unsinn. Wedell ist Landsmann und wird von der Geschichte so gut wissen wie jeder andere. Weshalb schweigen über solche Dinge. Du bist doch so gut wie gebunden. Und weiß es Gott, Junge, wenn ich so die Frölens Revue passieren lasse, 'ne beßre findest du nicht, Zähne wie Perlen und lacht immer, daß man die ganze Schnur sieht. Eine Flachsblondine zum Küssen und wenn ich dreißig Jahre jünger wäre, höre…"

Wedell, der Bothos Verlegenheit bemerkte, wollte ihm zu Hilfe kommen und sagte: „Die Sellenthinschen Damen sind alle sehr anmutig, Mutter wie Töchter; ich war vorigen Sommer mit ihnen in Norderney, charmant, aber ich würde der zweiten den Vorzug geben…"

„Desto besser, Wedell. Da kommt ihr euch nicht in die Quer und wir können gleich eine Doppelhochzeit feiern. Und Schönemann kann trauen, wenn Kluckhuhn, der wie alle Alten empfindlich ist, es zugibt, und ich will ihm nicht nur das Fuhrwerk stellen, ich will ihm auch das Stück Pfarracker ohne weiteres zedieren, wenn ich solche Hochzeit zwischen heut und einem Jahr erlebe. Sie sind reich, lieber Wedell, und mit Ihnen pressiert es am Ende nicht. Aber sehen Sie sich unsern Freund Botho an. Daß er so wohlgenährt aussieht, das verdankt er nicht seiner Sandbüchse, die, die paar Wiesen abgerechnet, eigentlich nichts als eine Kiefernschonung ist, und noch weniger seinem Muränensee. ,Muränensee', das klingt wundervoll und man könnte beinah sagen poetisch. Aber das ist auch alles. Man kann von Muränen nicht leben. Ich weiß, du hörst

nicht gerne davon, aber da wir mal dabei sind, so muß
es heraus. Wie liegt es denn? Dein Großvater hat die
Heide 'runterschlagen lassen und dein Vater selig – ein
kapitaler Mann, aber ich habe keinen Menschen je so
5 schlecht L'hombre spielen sehn und so hoch dazu –, dein
Vater selig, sag ich, hat die fünfhundert Morgen Bruch-
acker an die Jeseritzer Bauern parzelliert, und was von
gutem Boden übriggeblieben ist, ist nicht viel, und die
dreißigtausend Taler sind auch längst wieder fort.
10 Wärst du allein, so möcht' es gehn, aber du mußt teilen
mit deinem Bruder und vorläufig hat die Mama, meine
Frau Schwester Liebden, das Ganze noch in Händen,
eine prächtige Frau, klug und gescheit, aber auch nicht
auf die sparsame Seite gefallen. Botho, wozu stehst du
15 bei den Kaiserkürassieren und wozu hast du eine reiche
Cousine, die bloß darauf wartet, daß du kommst und
in einem regelrechten Antrage das besiegelst und wahr-
machst, was die Eltern schon verabredet haben, als ihr
noch Kinder wart. Wozu noch überlegen? Höre, wenn
20 ich morgen auf der Rückreise bei deiner Mama mit vor-
fahren und ihr die Nachricht bringen könnte: ‚Liebe
Josephine, Botho will, alles abgemacht', höre Junge,
das wäre mal was, das einem alten Onkel, der's gut mit
dir meint, eine Freude machen könnte. Reden Sie zu,
25 Wedell. Es ist Zeit, daß er aus der Garçonschaft herauskommt. Er vertut sonst sein bißchen Vermögen oder
verplempert sich wohl gar mit einer kleinen Bourgeoise.
Hab ich recht? Natürlich. Abgemacht. Und darauf müssen wir noch anstoßen. Aber nicht mit diesem Rest…"
30 Und er drückte auf die Klingel.
„Einen Heidsieck. Beste Marke."

ACHTES KAPITEL

Im Klub befanden sich um eben diese Zeit zwei junge
Kavaliere, der eine, von den Gardes du Corps, schlank,
groß und glatt, der andere, von den Pasewalkern ab-
kommandiert, etwas kleiner, mit Vollbart und nur vor- 5
schriftsmäßig freiem Kinn. Der weiße Damast des Ti-
sches, dran sie gefrühstückt hatten, war zurückgeschla-
gen und an der freigewordenen Hälfte saßen beide beim
Pikett.

„Sechs Blatt mit 'ner Quart.“ 10

„Gut.“

„Und du?“

„Vierzehn As, drei Könige, drei Damen … Und du
machst keinen Stich.“ Und er legte das Spiel auf den
Tisch und schob im nächsten Augenblick die Karten 15
zusammen, während der andere mischte.

„Weißt du schon, Ella verheiratet sich.“

„Schade.“

„Warum schade?“

„Sie kann dann nicht mehr durch den Reifen sprin- 20
gen.“

„Unsinn. Je mehr sie sich verheiraten, desto schlan-
ker werden sie.“

„Doch mit Ausnahme. Viele Namen aus der Zirkus-
aristokratie blühen schon in der dritten und vierten 25
Generation, was denn doch einigermaßen auf Wech-
selzustände von schlank und nichtschlank oder, wenn du
willst, auf Neumond und erstes Viertel etc. hinweist.“

„Irrtum. Error in calculo. Du vergißt Adoption.
Alle diese Zirkusleute sind heimliche Gichtelianer und 30
vererben nach Plan und Abmachung ihr Vermögen, ihr
Ansehen und ihren Namen. Es scheinen dieselben und
sind doch andere geworden. Immer frisches Blut. Heb
ab … Übrigens hab ich noch eine zweite Nachricht. Afzelius kommt in den Generalstab.“ 35

„Welcher?“

„Der von den Ulanen."

„Unmöglich."

„Moltke hält große Stücke auf ihn und er soll eine vorzügliche Arbeit gemacht haben."

5 „Imponiert mir nicht. Alles Bibliotheks- und Abschreibesache. Wer nur ein bißchen findig ist, kann Bücher leisten wie Humboldt oder Ranke."

„Quart. Vierzehn As."

„Quint vom König."

10 Und während die Stiche gemacht wurden, hörte man in dem Billardzimmer nebenan das Klappen der Bälle und das Fallen der kleinen Boulekegel.

Nur sechs oder acht Herren waren alles in allem in den zwei hinteren Klubzimmern, die mit ihrer Schmal-
15 seite nach einem sonnigen und ziemlich langweiligen Garten hinaussahen, versammelt, alle schweigsam, alle mehr oder weniger in ihr Whist oder Domino vertieft, nicht zum wenigsten die zwei pikettspielenden Herren, die sich eben über Ella und Afzelius unterhalten hatten.
20 Es ging hoch, weshalb beide von ihrem Spiel erst wieder aufsahen, als sie, durch eine offne Rundbogen-Nische, von dem nebenherlaufenden Zimmer her eines neuen Ankömmlings gewahr wurden. Es war Wedell.

„Aber Wedell, wenn Sie nicht eine Welt von Neuigkei-
25 ten mitbringen, so belegen wir Sie mit dem großen Bann."

„Pardon, Serge, es war keine bestimmte Verabredung."

„Aber doch beinah. Übrigens finden Sie mich persönlich in nachgiebigster Stimmung. Wie Sie sich mit Pitt
30 auseinandersetzen wollen, der eben 150 Points verloren, ist Ihre Sache."

Dabei schoben beide die Karten beiseit und der von dem herzukommenden Wedell als Serge Begrüßte zog seine Remontoiruhr und sagte: „Drei Uhr fünfzehn.
35 Also Kaffee. Irgendein Philosoph, und es muß einer der größten gewesen sein, hat einmal gesagt, das sei das

Beste am Kaffee, daß er in jede Situation und Tagesstunde hineinpasse. Wahrhaftig, Wort eines Weisen. Aber wo nehmen wir ihn? Ich denke, wir setzen uns draußen auf die Terrasse, mitten in die Sonne. Je mehr man das Wetter brüskiert, desto besser fährt man. Also, Pehlecke, drei Tassen. Ich kann das Umfallen der Boulekegel nicht mehr mit anhören, es macht mich nervös; draußen haben wir freilich auch Lärm, aber doch anders und hören statt des spitzen Klappertons das Poltern und Donnern unserer unterirdischen Kegelbahn, wobei wir uns einbilden können, am Vesuv oder Ätna zu sitzen. Und warum auch nicht? Alle Genüsse sind schließlich Einbildung und wer die beste Phantasie hat, hat den größten Genuß. Nur das Unwirkliche macht den Wert und ist eigentlich das einzig Reale."

„Serge", sagte der andere, der beim Pikettspielen als Pitt angeredet worden war, „wenn du mit deinen berühmten großen Sätzen so fortfährst, so bestrafst du Wedell härter, als er verdient. Außerdem hast du Rücksicht auf mich zu nehmen, weil ich verloren habe. So, hier wollen wir bleiben, den lawn im Rücken, diesen Efeu neben uns und eine kahle Wand en vue. Himmlischer Aufenthalt für Seiner Majestät Garde! Was wohl der alte Fürst Pückler zu diesem Klubgarten gesagt haben würde. Pehlecke... so, hier den Tisch her, jetzt geht's. Und zum Schluß eine Cuba von Ihrem gelagertsten Lager. Und nun, Wedell, wenn Ihnen verziehen werden soll, schütteln Sie Ihr Gewand, bis ein neuer Krieg herausfällt oder irgendeine andere große Nachricht. Sie sind ja durch Puttkamers mit unserem lieben Herrgott verwandt. Mit welchem, brauch ich nicht erst hinzuzusetzen. Was kocht er wieder?"

„Pitt", sagte Wedell, „ich beschwöre Sie, nur keine Bismarckfragen. Denn erstlich wissen Sie, daß ich nichts weiß, weil Vettern im 17. Grad nicht gerade zu den Intimen und Vertrauten des Fürsten gehören, zum zweiten aber komme ich, statt vom Fürsten, recte von einem Bolzenschießen her, das sich mit einigen Treffern und vielen, vielen Nichttreffern gegen niemand anders als gegen Seine Durchlaucht richtete."

„Und wer war dieser kühne Schütze?"

„Der alte Baron Osten, Rienäckers Onkel. Charmanter alter Herr und Bon-Garçon. Aber freilich auch Pfiffikus."

„Wie alle Märker."

„Bin auch einer."

„Tant mieux. Da wissen Sie's von sich selbst. Aber heraus mit der Sprache. Was sagte der Alte?"

„Vielerlei. Das Politische kaum der Rede wert, aber ein anderes desto wichtiger: Rienäcker steht vor einer scharfen Ecke."

„Und vor welcher?"

„Er soll heiraten."

„Und das nennen Sie eine scharfe Ecke? Ich bitte Sie, Wedell, Rienäcker steht vor einer viel schärferen: er hat 9000 jährlich und gibt 12 000 aus und das ist immer die schärfste aller Ecken, jedenfalls schärfer als die Heiratsecke. Heiraten ist für Rienäcker keine Gefahr, sondern die Rettung. Übrigens hab ich es kommen sehen. Und wer ist es denn?"

„Eine Cousine!"

„Natürlich. Retterin und Cousine sind heutzutage fast identisch. Und ich wette, daß sie Paula heißt. Alle Cousinen heißen jetzt Paula."

„Diese nicht."

„Sondern?"

„Käthe."

„Käthe? Ah, da weiß ich's. Käthe Sellenthin. Hm, nicht übel, glänzende Partie. Der alte Sellenthin, es ist doch der mit dem Pflaster überm Auge, hat sechs Güter und die Vorwerke mit eingerechnet sind es sogar dreizehn. Geht zu gleichen Teilen und das dreizehnte kriegt Käthe noch als Zuschlag. Gratuliere..."

„Sie kennen sie?"

„Gewiß. Wundervolle Flachsblondine mit Vergiß-
meinnichtaugen, aber trotzdem nicht sentimental, weniger Mond als Sonne. Sie war hier bei der Zülow in
Pension und wurde mit vierzehn schon umkurt und
umworben."

„In der Pension?"

„Nicht direkt und nicht alltags, aber doch sonntags,
wenn sie beim alten Osten zu Tische war, demselben,
von dem Sie jetzt herkommen. Käthe, Käthe Sellenthin... sie war damals wie 'ne Bachstelze und wir nannten sie so und war der reizendste Backfisch, den Sie sich
denken können. Ich seh noch ihren Haardutt, den wir
immer den Wocken nannten. Und den soll Rienäcker
nun abspinnen. Nun warum nicht? Es wird ihm so
schwer nicht werden."

„Am Ende doch schwerer, als mancher denkt", antwortete Wedell. „Und so gewiß er der Aufbesserung
seiner Finanzen bedarf, so bin ich doch nicht sicher, daß
er sich für die blonde Speziallandsmännin ohne weiteres
entscheiden wird. Rienäcker ist nämlich seit einiger Zeit
in einen andren Farbenton und zwar ins Aschfarbene
gefallen und wenn es wahr ist, was mir Balafré neulich
sagte, so hat er sich's ganz ernsthaft überlegt, ob er
nicht seine Weißzeugdame zur weißen Dame erheben
soll. Schloß Avenel oder Schloß Zehden macht ihm keinen Unterschied, Schloß ist Schloß und Sie wissen, Rienäcker, der überhaupt in manchem seinen eignen Weg
geht, war immer fürs Natürliche."

„Ja", lachte Pitt. „Das war er. Aber Balafré schnei-
det auf und erfindet sich interessante Geschichten. Sie
sind nüchtern, Wedell, und werden doch solch erfundenes Zeug nicht glauben wollen."

„Nein, Erfundenes nicht", sagte Wedell. „Aber ich
glaube, was ich weiß. Rienäcker, trotz seiner sechs Fuß,
oder vielleicht auch gerade deshalb, ist schwach und be-
stimmbar und von einer seltenen Weichheit und Her-
zensgüte."

„Das ist er. Aber die Verhältnisse werden ihn zwingen und er wird sich lösen und frei machen, schlimmstenfalls wie der Fuchs aus dem Eisen. Es tut weh und ein Stückchen Leben bleibt dran hängen. Aber das Hauptstück ist doch wieder heraus, wieder frei. Vive Käthe. Und Rienäcker! Wie sagt das Sprichwort: ‚Mit den Klugen ist Gott.‘"

NEUNTES KAPITEL

Botho schrieb denselben Abend noch an Lene, daß er am andern Tage kommen würde, vielleicht schon früher als gewöhnlich. Und er hielt Wort und war eine Stunde vor Sonnenuntergang da. Natürlich fand er auch Frau Dörr. Es war eine prächtige Luft, nicht zu warm, und nachdem man noch eine Weile geplaudert hatte, sagte Botho: „Wir könnten vielleicht in den Garten gehen."

„Ja, in den Garten. Oder sonst wohin?"

„Wie meinst du?"

Lene lachte. „Sei nicht wieder in Sorge, Botho. Niemand ist in den Hinterhalt gelegt und die Dame mit dem Schimmelgespann und der Blumengirlande wird dir nicht in den Weg treten."

„Also wohin, Lene?"

„Bloß ins Feld, ins Grüne, wo du nichts haben wirst als Gänseblümchen und mich. Und vielleicht auch Frau Dörr, wenn sie die Güte haben will, uns zu begleiten."

„Ob sie will", sagte Frau Dörr. „Gewiß will sie. Große Ehre. Aber man muß sich doch erst ein bißchen zurechtmachen. Ich bin gleich wieder da."

„Nicht nötig, Frau Dörr, wir holen Sie ab."

Und so geschah es, und als das junge Paar eine Viertelstunde später auf den Garten zuschritt, stand Frau Dörr schon an der Tür, einen Umhang überm Arm und einen prachtvollen Hut auf dem Kopf, ein Geschenk Dörrs, der, wie alle Geizhälse, mitunter etwas lächerlich Teures kaufte.

Botho sagte der so Herausgeputzten etwas Schmeichelhaftes, und gleich danach gingen alle drei den Gang hinunter und traten durch ein verstecktes Seitenpförtchen auf einen Feldweg hinaus, der hier, wenigstens zunächst noch und eh' er weiter abwärts in das freie Wiesengrün einbog, an dem an seiner Außenseite hoch in Nesseln stehenden Gartenzaun hinlief.

„Hier bleiben wir", sagte Lene. „Das ist der hübscheste Weg und der einsamste. Da kommt niemand."

Und wirklich, es war der einsamste Weg, um vieles stiller und menschenleerer als drei, vier andere, die parallel mit ihm über die Wiese hin auf Wilmersdorf zuführten und zum Teil ein eigentümliches Vorstadtsleben zeigten. An dem einen dieser Wege befanden sich allerlei Schuppen, zwischen denen reckartige, wie für Turner bestimmte Gerüste standen und Bothos Neugier weckten, aber eh' er noch erkunden konnte, was es denn eigentlich sei, gab ihm das Tun drüben auch schon Antwort auf seine Frage: Decken und Teppiche wurden über die Gerüste hin ausgebreitet, und gleich danach begann ein Klopfen und Schlagen mit großen Rohrstöcken, so daß der Weg drüben alsbald in einer Staubwolke lag.

Botho wies darauf hin und wollte sich eben mit Frau Dörr in ein Gespräch über den Wert oder Unwert der Teppiche vertiefen, die, bei Lichte besehen, doch bloß Staubfänger seien „und wenn einer nicht fest auf der Brust sei, so hätt' er die Schwindsucht weg, er wisse nicht wie". Mitten im Satz aber brach er ab, weil der von ihm eingeschlagene Weg in eben diesem Augenblicke an einer Stelle vorüberführte, wo der Schutt einer Bildhauerwerkstatt abgeladen sein mußte, denn allerhand Stuckornamente, namentlich Engelsköpfe, lagen in großer Zahl umher.

„Das ist ein Engelskopf", sagte Botho. „Sehen Sie, Frau Dörr. Und hier ist sogar ein geflügelter."

„Ja", sagte Frau Dörr. „Und ein Pausback dazu. Aber is es denn ein Engel? Ich denke, wenn er so klein is und Flügel hat, heißt er Amor."

„Amor oder Engel", sagte Botho, „das ist immer dasselbe. Fragen Sie nur Lene, die wird es bestätigen. Nicht wahr, Lene?"

Lene tat empfindlich, aber er nahm ihre Hand, und alles war wieder gut.

Unmittelbar hinter dem Schutthaufen bog der Pfad nach links hin ab und mündete gleich danach in einen etwas größeren Feldweg ein, dessen Pappelweiden eben blühten und ihre flockenartigen Kätzchen über die Wiese hin ausstreuten, auf der sie nun wie gezupfte Watte dalagen.

„Sieh, Lene", sagte Frau Dörr, „weißt du denn, daß sie jetzt Betten damit stopfen, ganz wie mit Federn? Und sie nennen es Waldwolle."

„Ja, ich weiß, Frau Dörr. Und ich freue mich immer, wenn die Leute so was ausfinden und sich zunutze machen. Aber für Sie wär' es nichts."

„Nein, Lene, für mich wär' es nich. Da hast du recht. Ich bin so mehr fürs Feste, für Pferdehaar und Sprungfedern und wenn es denn so wuppt…"

„O ja", sagte Lene, der diese Beschreibung etwas ängstlich zu werden anfing. „Ich fürchte bloß, daß wir Regen kriegen. Hören Sie nur die Frösche, Frau Dörr."

„Ja, die Poggen", bestätigte diese. „Nachts ist es mitunter ein Gequake, daß man nicht schlafen kann. Und woher kommt es? Weil hier alles Sumpf is und bloß so tut, als ob es Wiese wäre. Sieh doch den Tümpel an, wo der Storch steht und kuckt gerade hierher. Na, nach mir sieht er nich. Da könnt' er lange sehn. Und is auch recht gut so."

„Wir müssen am Ende doch wohl umkehren", sagte Lene verlegen, und eigentlich nur, um etwas zu sagen.

„I bewahre", lachte Frau Dörr. „Nun erst recht nich,
Lene; du wirst dich doch nich graulen und noch dazu
vor so was. Adebar, du guter, bring mir ... Oder soll
ich lieber singen: Adebar, du bester?"

So ging es noch eine Weile weiter, denn Frau Dörr
brauchte Zeit, um von einem solchen Lieblingsthema
wieder loszukommen.

Endlich aber war doch eine Pause da, während welcher man in langsamem Tempo weiterschritt, bis man
zuletzt an einen Höhenrücken kam, der sich hier pla-
teauartig von der Spree nach der Havel hinüberzieht.
An eben dieser Stelle hörten auch die Wiesen auf und
Korn- und Rapsfelder fingen an, die sich bis an die
vorderste Häuserreihe von Wilmersdorf zogen.

„Nun bloß da noch 'rauf", sagte Frau Dörr, „und
dann setzen wir uns und pflücken Butterblumen und
flechten uns einen Stengelkranz. Jott, das macht immer
so viel Spaß, wenn man den einen Stengel in den andern piekt, bis der Kranz fertig is oder die Kette."

„Wohl, wohl", sagte Lene, der es heute beschieden
war, aus kleinen Verlegenheiten gar nicht herauszukom-
men. „Wohl, wohl. Aber nun kommen Sie, Frau Dörr;
hier geht der Weg."

Und so sprechend, stiegen sie den niedrigen Abhang
hinauf und setzten sich, oben angekommen, auf einen
hier seit letztem Herbst schon aus Peden und Nesseln
zusammengekarrten Unkrauthaufen. Dieser Pedenhaufen war ein prächtiger Ruheplatz, zugleich auch ein
Aussichtspunkt, von dem aus man über einen von Werft
und Weiden eingefaßten Graben hin nicht nur die nörd-
liche Häuserreihe von Wilmersdorf überblicken, sondern auch von einer benachbarten Kegelbahntabagie
her das Fallen der Kegel und vor allem das Zurück-
rollen der Kugel auf zwei klapprigen Latten in aller
Deutlichkeit hören konnte. Lene vergnügte sich über
die Maßen darüber, nahm Bothos Hand und sagte:
„Sieh, Botho, ich weiß so gut Bescheid damit (denn als

Kind wohnten wir auch neben einer solchen Tabagie), daß ich, wenn ich die Kugel bloß aufsetzen höre, gleich weiß, wie viel sie machen wird."

„Nun", sagte Botho, „da können wir ja wetten."

5 „Und um was?"

„Das findet sich."

„Gut. Aber ich brauch es nur dreimal zu treffen und wenn ich schweige, so zählt es nicht."

„Bin es zufrieden."

10 Und nun horchten alle drei hinüber und die mit jedem Moment erregter werdende Frau Dörr verschwor sich hoch und teuer, ihr puppre das Herz und ihr sei gerade so, wie wenn sie vor einem Theatervorhang sitze. „Lene, Lene, du hast dir zuviel zugetraut, Kind, 15 das is ja gar nich möglich."

So wär' es wohl noch weiter gegangen, wenn man nicht in eben diesem Augenblicke gehört hätte, daß eine Kugel aufgesetzt und nach einmaligem dumpfen Anschlag an die Seitenbande wieder still wurde. „Sand-20 hase", rief Lene. Und richtig, so war es.

„Das war leicht", sagte Botho. „Zu leicht. Das hätt' ich auch geraten. Sehen wir also, was kommt."

Und siehe da, zwei weitere Würfe folgten, ohne daß Lene gesprochen oder sich auch nur gerührt hätte. Nur 25 Frau Dörrs Augen traten immer mehr aus dem Kopf. Jetzt aber, und Lene hob sich sofort von ihrem Platz, kam eine kleine, feste Kugel und in einem eigentümlichen Mischton von Elastizität und Härte hörte man sie vibrierend über das Brett hintanzen. „Alle neun", rief Lene. 30 Und im Nu gab es drüben ein Fallen und der Kegeljunge bestätigte nur, was kaum noch der Bestätigung bedurfte.

„Du sollst gewonnen haben, Lene. Wir essen heute noch ein Vielliebchen und dann geht alles in einem. Nicht wahr, Frau Dörr?"

35 „Versteht sich", zwinkerte diese, „alles in einem." Und dabei band sie den Hut ab und beschrieb Kreise damit, wie wenn es ihr Markthut gewesen wäre.

Mittlerweile sank die Sonne hinter den Wilmersdorfer Kirchturm und Lene schlug vor, aufzubrechen und den Rückweg anzutreten, „es werde so fröstlich; unterwegs aber wollte man spielen und sich greifen: sie sei sicher, Botho werde sie nicht fangen". 5

„Ei, da wollen wir doch sehn."

Und nun begann ein Jagen und Haschen, bei dem Lene wirklich nicht gefangen werden konnte, bis sie zuletzt vor Lachen und Aufregung so abgeäschert war, daß sie sich hinter die stattliche Frau Dörr flüchtete. 10

„Nun hab ich meinen Baum", lachte sie, „nun kriegst du mich erst recht nicht." Und dabei hielt sie sich an Frau Dörrs etwas abstehender Schoßjacke fest und schob die gute Frau so geschickt nach rechts und links, daß sie sich eine Zeitlang mit Hilfe derselben deckte. Plötzlich 15 aber war Botho neben ihr, hielt sie fest und gab ihr einen Kuß.

„Das ist gegen die Regel; wir haben nichts ausgemacht." Aber trotz solcher Abweisung hing sie sich doch an seinen Arm und kommandierte, während sie die 20 Gardeschnarrstimme nachahmte: „Parademarsch... frei weg" und ergötzte sich an den bewundernden und nicht endenwollenden Ausrufen, womit die gute Frau Dörr das Spiel begleitete.

„Is es zu glauben?" sagte diese. „Nein, es is n i c h zu 25 glauben. Und immer so un nie anders. Un wenn ich denn an meinen denke! Nicht zu glauben, sag ich. Und war doch auch einer. Un tat auch immer so."

„Was meint sie nur?" fragte Botho leise.

„Oh, sie denkt wieder... Aber, du weißt ja... Ich 30 habe dir ja davon erzählt."

„Ah, d a s ist es. D e r. Nun, er wird wohl so schlimm nicht gewesen sein."

„Wer weiß. Zuletzt ist einer wie der andere."

„Meinst du?" 35

„Nein." Und dabei schüttelte sie den Kopf, und in ihrem Auge lag etwas von Weichheit und Rührung.

Aber sie wollte diese Stimmung nicht aufkommen lassen und sagte deshalb rasch: „Singen wir, Frau Dörr. Singen wir. Aber was?"

„Morgenrot..."

5 „Nein, das nicht... ‚Morgen in das kühle Grab', das ist mir zu traurig. Nein, singen wir ‚Übers Jahr, übers Jahr' oder noch lieber ‚Denkst du daran.'"

„Ja, d a s is recht, d a s is schön; das is mein Leib- und Magenlied."

10 Und mit gut eingeübter Stimme sangen alle drei das Lieblingslied der Frau Dörr, und man war schon bis in die Nähe der Gärtnerei gekommen, als es noch immer über das Feld hinklang: „Ich denke dran... ich danke dir mein Leben" und dann von der andren Wegseite

15 her, wo die lange Reihe der Schuppen und Remisen stand, im Echo widerhallte.

Die Dörr war überglücklich. Aber Lene und Botho waren ernst geworden.

ZEHNTES KAPITEL

20 Es dunkelte schon, als man wieder vor der Wohnung der Frau Nimptsch war und Botho, der seine Heiterkeit und gute Laune rasch zurückgewonnen hatte, wollte nur einen Augenblick noch mit hineinsehn und sich gleich danach verabschieden. Als ihn Lene jedoch an al-

25 lerlei Versprechungen und Frau Dörr mit Betonung und Augenspiel an das noch ausstehende Vielliebchen erinnerte, gab er nach und entschloß sich, den Abend über zu bleiben.

„Das is recht", sagte die Dörr. „Und ich bleibe nun

30 auch. Das heißt, wenn ich bleiben darf und bei dem Vielliebchen nicht störe. Denn man kann doch nie wissen. Und ich will bloß noch den Hut nach Hause bringen und den Umhang. Und denn komm ich wieder."

„Gewiß müssen Sie wiederkommen", sagte Botho, während er ihr die Hand gab. „So jung kommen wir nicht wieder zusammen."

„Nein, nein", lachte die Dörr, „so jung kommen wir nich wieder zusammen. Un is auch eigentlich ganz unmöglich, un wenn wir auch morgen schon wieder zusammenkämen. Denn ein Tag is doch immer ein Tag und macht auch schon was aus. Und deshalb is es ganz richtig, daß wir so jung nich wieder zusammenkommen. Und muß sich jeder gefallen lassen."

In dieser Tonart ging es noch eine Weile weiter und die von niemandem bestrittene Tatsache des täglichen Älterwerdens gefiel ihr so, daß sie dieselbe noch einigemale wiederholte. Dann erst ging sie. Lene begleitete sie bis auf den Flur, Botho seinerseits aber setzte sich neben Frau Nimptsch und fragte, während er ihr das von der Schulter gefallene Umschlagetuch wieder umhing, „ob sie noch böse sei, daß er die Lene wieder auf ein paar Stunden entführt habe? Aber es sei so hübsch gewesen und oben auf dem Pedenhaufen, wo sie sich ausgeruht und geplaudert hätten, hätten sie der Zeit ganz vergessen."

„Ja, die Glücklichen vergessen die Zeit", sagte die Alte. „Und die Jugend is glücklich un is auch gut so un soll so sein. Aber wenn man alt wird, lieber Herr Baron, da werden einen die Stunden lang un man wünscht sich die Tage fort un das Leben auch."

„Ach, das sagen Sie so, Mutterchen. Alt oder jung, eigentlich lebt doch jeder gern. Nicht wahr, Lene, wir leben gern?"

Lene war eben wieder vom Flur her in die Stube getreten und lief wie getroffen von dem Wort auf ihn zu und umhalste und küßte ihn und war überhaupt von einer Leidenschaftlichkeit, die ihr sonst ganz fremd war.

„Lene, was hast du nur?"

Aber sie hatte sich schon wieder gesammelt und wehrte mit rascher Handbewegung seine Teilnahme ab, wie

wenn sie sagen wollte: „Frage nicht." Und nun ging sie, während Botho mit Frau Nimptsch weitersprach, auf das Küchenschapp zu, kramte drin umher und kam gleich danach und völlig heitern Gesichts mit einem klei-
nen, in blaues Zuckerpapier genähten Buche zurück, das ganz das Aussehen hatte wie die, drin Hausfrauen ihre täglichen Ausgaben aufschreiben. Dazu diente das Büchelchen denn auch wirklich und zugleich zu Fragen, mit denen sich Lene, sei's aus Neugier oder gelegentlich auch
aus tieferem Interesse beschäftigte. Sie schlug es jetzt auf und wies auf die letzte Seite, drauf Bothos Blick sofort der dick unterstrichenen Überschrift begegnete: „Was zu wissen not tut."

„Alle Tausend, Lene, das klingt ja wie Traktätchen oder Lustspieltitel."

„Ist auch so was. Lies nur weiter."

Und nun las er: „Wer waren die beiden Damen auf dem Corso? Ist es die ältere oder ist es die junge? Wer ist Pitt? Wer ist Serge? Wer ist Gaston?"

Botho lachte. „Wenn ich dir das alles beantworten soll, Lene, so bleib ich bis morgen früh."

Ein Glück, daß Frau Dörr bei dieser Antwort fehlte, sonst hätt' es eine neue Verlegenheit gegeben. Aber die sonst so flinke Freundin, flink wenigstens wenn es sich um den Baron handelte, war noch nicht wieder zurück, und so sagte denn Lene: „Gut, so will ich mich handeln lassen. Und meinetwegen denn von den zwei Damen ein andermal! Aber was bedeuten die fremden Namen? Ich habe schon neulich danach gefragt, als du die Tüte brachtest. Aber was du da sagtest, war keine rechte Antwort, nur so halb. Ist es ein Geheimnis?"

„Nein."

„Nun denn sage."

„Gern, Lene. Diese Namen sind bloß Necknamen."

„Ich weiß. Das sagtest du schon."

„...Also Namen, die wir uns aus Bequemlichkeit beigelegt haben, mit und ohne Beziehung, je nachdem."

„Und was heißt Pitt?"

„Pitt war ein englischer Staatsmann."

„Und ist dein Freund auch einer?"

„Um Gottes willen..."

„Und Serge?"

„Das ist ein russischer Vorname, den ein Heiliger und viele russische Großfürsten führen."

„Die aber nicht Heilige zu sein brauchen, nicht wahr? ... Und Gaston?"

„Ist ein französischer Name."

„Ja, dessen entsinn ich mich. Ich habe mal als ein ganz junges Ding, und ich war noch nicht eingesegnet, ein Stück gesehn: ‚Der Mann mit der eisernen Maske.' Und der mit der Maske, der hieß Gaston. Und ich weinte jämmerlich."

„Und lachst jetzt, wenn ich dir sage: Gaston bin ich."

„Nein, ich lache nicht. Du hast auch eine Maske."

Botho wollte scherz- und ernsthaft das Gegenteil versichern, aber Frau Dörr, die gerade wieder eintrat, schnitt das Gespräch ab, indem sie sich entschuldigte, daß sie so lange habe warten lassen. Aber eine Bestellung sei gekommen und sie habe rasch noch einen Begräbniskranz flechten müssen.

„Einen großen oder einen kleinen?" fragte die Nimptsch, die gern von Begräbnissen sprach und eine Passion hatte, sich von allem Dazugehörigen erzählen zu lassen.

„Nu", sagte die Dörr, „es war ein mittelscher; kleine Leute. Efeu mit Azalie."

„Jott", fuhr die Nimptsch fort, „alles is jetzt für Efeu mit Azalie, bloß ich nich. Efeu is ganz gut, wenn er aufs Grab kommt und alles so grün und dicht einspinnt, daß das Grab seine Ruhe hat und der drunter liegt auch. Aber Efeu in'n Kranz, das is nich richtig. Zu meiner Zeit, da nahmen wir Immortellen, gelbe oder halbgelbe, und wenn es ganz was Feines sein sollte, denn

62

nahmen wir rote oder weiße und machten Kränze draus
oder auch bloß einen und hingen ihn ans Kreuz und da
hing er denn den ganzen Winter und wenn der Früh-
ling kam, da hing er noch. Un manche hingen noch länger. Aber so mit Efeu oder Azalie, das is nichts. Un
warum nich? Darum nich, weil es nich lange dauert.
Un ich denke mir immer, je länger der Kranz oben
hängt, desto länger denkt der Mensch auch an seinen
Toten unten. Un mitunter auch 'ne Witwe, wenn sie
nich zu jung is. Un das is es, warum ich für Immortelle
bin, gelbe oder rote oder auch weiße, un kann ja jeder
einen andern Kranz zuhängen, wenn er will. Das is
denn so für den Schein. Aber der immortellige, das is
der richtige."

„Mutter", sagte Lene, „du sprichst wieder so viel von
Grab und Kranz."

„Ja, Kind, jeder spricht, woran er denkt. Un denkt
einer an Hochzeit, denn red't er von Hochzeit, un denkt
einer an Begräbnis, denn red't er von Grab. Un ich habe
nich mal angefangen von Grab un Kranz zu reden, Frau
Dörr hat angefangen, was auch ganz recht war. Un ich
spreche bloß immer davon, weil ich immer 'ne Angst
habe un immer denke: ja, wer wird dir mal einen bringen?"

„Ach, Mutter ..."

„Ja, Lene, du bist gut, du bist ein gutes Kind. Aber
der Mensch denkt un Gott lenkt, un heute rot un morgen tot. Un du kannst sterben so gut wie ich, jeden Tag,
den Gott werden läßt, wenn ich es auch nich glaube. Un
Frau Dörr kann auch sterben oder wohnt denn, wenn
ich sterbe, vielleicht woanders oder ich wohne woanders
un bin vielleicht eben erst eingezogen. Ach, meine liebe
Lene, man hat nichts sicher, gar nichts, auch nich mal
einen Kranz aufs Grab."

„Doch, doch, Mutter Nimptsch", sagte Botho,
„den haben Sie sicher."

„Na, na, Herr Baron, wenn es man wahr is."

„Und wenn ich in Petersburg bin oder in Paris und ich höre, daß meine alte Frau Nimptsch gestorben ist, dann schick ich einen Kranz, und wenn ich in Berlin bin oder in der Nähe, dann bring ich ihn selber."

Der Alten Gesicht verklärte sich ordentlich vor Freude. „Na, das is ein Wort, Herr Baron. Un da hab ich doch nu meinen Kranz aufs Grab und is mir lieb, daß ich ihn habe. Denn ich kann die kahlen Gräber nich leiden, die so aussehn wie'n Waisenhauskirchhof oder für die Gefangenen oder noch schlimmer. Aber nu mach einen Tee, Lene, das Wasser kocht un bullert schon un Erdbeeren un Milch sind auch da. Un auch saure. Jott, den armen Herrn Baron muß ja schon ganz jämlich sein. Immer ankucken macht hungrig, soviel weiß ich auch noch. Ja, Frau Dörr, man hat ja doch auch mal seine Jugend gehabt un wenn es auch lange her is. Aber die Menschen waren damals so wie heut."

Frau Nimptsch, die heut ihren Redetag hatte, philosophierte noch eine Weile weiter, während Lene das Abendbrot auftrug und Botho seine Neckereien mit der guten Frau Dörr fortsetzte. „Das sei gut, daß sie den Staatshut zu rechter Zeit zu Bette gebracht habe, der sei für Kroll oder fürs Theater, aber nicht für den Wilmersdorfer Pedenhaufen. Wo sie den Hut denn eigentlich her habe? Solchen Hut habe keine Prinzessin. Und er habe so was Kleidsames überhaupt noch gar nicht gesehn; er wolle nicht von sich selber reden, aber ein Prinz hätte sich drin vergaffen können."

Die gute Frau hörte wohl heraus daß er sich einen Spaß mache. Trotzdem sagte sie: „Ja, wenn Dörr mal anfängt, denn is er so forsch und fein, daß ich mitunter gar nicht weiß, wo er's her hat. Alltags is nich viel mit ihm, aber mit eins is er wie vertauscht un gar nich mehr derselbe un ich sage denn immer: es is am Ende doch was mit ihm un er kann es man bloß nich so zeigen."

So plauderte man beim Tee, bis zehn Uhr heran war. Dann brach Botho auf und Lene und Frau Dörr beglei-

teten ihn durch den Vorgarten bis an die Gartentür. Als
sie hier standen erinnerte die Dörr daran, daß man das
Vielliebchen noch immer vergessen habe. Botho schien
aber die Mahnung überhören zu wollen und betonte
5 nur nochmals, wie hübsch der Nachmittag gewesen sei.
„Wir müssen öfter so gehn, Lene, und wenn ich wieder-
komme, dann überlegen wir wohin. Oh, ich werde
schon etwas finden, etwas Hübsches und Stilles, und
recht weit und nicht so bloß über Feld."
10 „Und dann nehmen wir Frau Dörr wieder mit",
sagte Lene, „oder bitten sie darum. Nicht wahr, Botho?"
„Gewiß, Lene. Frau Dörr muß immer dabei sein.
Ohne Frau Dörr geht es nicht."
„Ach, Herr Baron, das kann ich ja gar nich annehm-
15 men, das kann ich ja gar nich verlangen."
„Doch, liebe Frau Dörr", lachte Botho. „Sie können
a l l e s verlangen. Eine Frau wie Sie."
Und damit trennte man sich.

ELFTES KAPITEL

20 Die Landpartie, die man nach dem Wilmersdorfer Spaziergange verabredet oder wenigstens geplant hatte, war
nun auf einige Wochen hin das Lieblingsgespräch, und
immer, wenn Botho kam, überlegte man, w o h i n ? Alle
möglichen Plätze wurden erwogen: Erkner und Kra-
25 nichberge, Schwilow und Baumgartenbrück, aber alle
waren immer noch zu besucht, und so kam es, daß Botho
schließlich „Hankels Ablage" nannte, von dessen Schönheit und Einsamkeit er wahre Wunderdinge gehört habe, Lene war einverstanden. Ihr lag nur daran, mal
30 hinauszukommen und in Gottes freier Natur, möglichst
fern von dem großstädtischen Getriebe, mit dem geliebten Manne zusammen zu sein. Wo, war gleichgiltig.
Der nächste Freitag wurde zu der Partie bestimmt.

„Abgemacht." Und nun fuhren sie mit dem Görlitzer Nachmittagszuge nach Hankels Ablage hinaus, wo sie Nachtquartier nehmen und den andern Tag in aller Stille zubringen wollten.

Der Zug hatte nur wenige Wagen, aber auch diese waren schwach besetzt und so kam es, daß sich Botho und Lene allein befanden. In dem Kupee nebenan wurde lebhaft gesprochen, zugleich deutlich genug, um herauszuhören, daß es Weiterreisende waren, keine Mitpassagiere für Hankels Ablage.

Lene war glücklich, reichte Botho die Hand und sah schweigend in die Wald- und Heidelandschaft hinaus. Endlich sagte sie: „Was wird aber Frau Dörr sagen, daß wir sie zu Hause gelassen?"

„Sie darf es gar nicht erfahren."

„Mutter wird es ihr ausplaudern."

„Ja, dann steht es schlimm und doch ließ sich's nicht anders tun. Sieh, auf der Wiese neulich, da ging es, da waren wir mutterwindallein. Aber wenn wir in Hankels Ablage auch noch soviel Einsamkeit finden, so finden wir doch immer einen Wirt und eine Wirtin und vielleicht sogar einen Berliner Kellner. Und solch Kellner, der immer so still vor sich hinlacht oder wenigstens in sich hinein, den kann ich nicht aushalten, der verdirbt mir die Freude. Frau Dörr, wenn sie neben deiner Mutter sitzt oder den alten Dörr erzieht, ist unbezahlbar, aber nicht unter Menschen. Unter Menschen ist sie bloß komische Figur und eine Verlegenheit."

Gegen fünf hielt der Zug an einem Waldrande... Wirklich, niemand außer Botho und Lene stieg aus und beide schlenderten jetzt behaglich und unter häufigem Verweilen auf ein Gasthaus zu, das, in etwa zehn Minuten Entfernung von dem kleinen Stationsgebäude, hart an der Spree seinen Platz hatte. Dies „Etablissement", wie sich's auf einem schiefstehenden Wegweiser nannte, war ursprünglich ein bloßes Fischerhaus gewe-

sen, das sich erst sehr allmählich und mehr durch An-
als Umbau in ein Gasthaus verwandelt hatte, der Blick
über den Strom aber hielt für alles, was sonst vielleicht
fehlen mochte, schadlos und ließ das glänzende Renom-
5 mee, dessen sich diese Stelle bei allen Eingeweihten er-
freute, keinen Augenblick als übertrieben erscheinen.
Auch Lene fühlte sich sofort angeheimelt und nahm
in einer verandaartig vorgebauten Holzhalle Platz,
deren eine Hälfte von dem Gezweig einer alten,
10 zwischen Haus und Ufer stehenden Ulme verdeckt
wurde.

„Hier bleiben wir", sagte sie. „Sieh doch nur die
Kähne, zwei, drei... und dort weiter hinauf kommt
eine ganze Flotte. Ja, das war ein glücklicher Gedanke,
15 der uns hierher führte. Sieh doch nur, wie sie drüben
auf dem Kahne hin- und herlaufen und sich gegen
die Ruder stemmen. Und dabei alles so still. Oh, mein
einziger Botho, wie schön das ist und wie gut ich dir
bin."

20 Botho freute sich, Lene so glücklich zu sehen. Etwas Entschlossenes und beinah Herbes, das sonst in
ihrem Charakter lag, war wie von ihr genommen und
einer ihr sonst fremden Gefühlsweichheit gewichen
und dieser Wechsel schien ihr selber unendlich wohlzu-
25 tun.

Nach einer Weile kam der sein „Etablissement" schon
von Vater und Großvater her innehabende Wirt, um
nach den Befehlen der Herrschaften zu fragen, vor allem auch, „ob sie zu Nacht bleiben würden", und bat,
30 als diese Frage bejaht worden war, über ihr Zimmer Be-
schluß fassen zu wollen. Es ständen ihnen mehrere zur
Verfügung, unter denen die Giebelstube wohl die beste
sein würde. Sie sei zwar niedrig, aber sonst groß und
geräumig und hätte den Blick über die Spree bis an die
35 Müggelberge.

Der Wirt ging nun, als sein Vorschlag angenommen
war, um die nötigen Vorbereitungen zu treffen, und

Botho und Lene waren nicht nur wieder allein miteinander, sondern genossen auch das Glück dieses Alleinseins in vollen Zügen. Auf einem der herabhängenden Ulmenzweige wiegte sich ein in einem niedrigen Nachbargebüsche nistender Fink, Schwalben fuhren hin und her und zuletzt kam eine schwarze Henne mit einem langen Gefolge von Entenküken an der Veranda vorüber und stolzierte gravitätisch auf einen weit in den Fluß hineingebauten Wassersteg zu. Mitten auf diesem Steg aber blieb die Henne stehn, während sich die Küken ins Wasser stürzten und fortschwammen.

Lene sah eifrig dem allen zu. „Sieh nur, Botho, wie der Strom durch die Pfähle schießt." Aber eigentlich war es weder der Steg noch die durchschießende Flut, was sie fesselte, sondern die zwei Boote, die vorn angekettet lagen. Sie liebäugelte damit und erging sich in kleinen Fragen und Anspielungen und erst als Botho taub blieb und durchaus nichts davon verstehen wollte, rückte sie klarer mit der Sprache heraus und sagte rundweg, daß sie gern Wasser fahren möchte.

„Weiber sind doch unverbesserlich. Unverbesserlich in ihrem Leichtsinn. Denk an den zweiten Ostertag. Um ein Haar..."

„...Wär' ich ertrunken. Gewiß. Aber das war nur das eine. Nebenher lief die Bekanntschaft mit einem stattlichen Herrn, dessen du dich vielleicht entsinnst. Er hieß Botho... Du wirst doch, denk ich, den zweiten Ostertag nicht als einen Unglückstag ansehen wollen? Da bin ich artiger und galanter."

„Nun, nun... Aber kannst du denn auch rudern, Lene?"

„Freilich kann ich. Und kann auch sogar steuern und ein Segel stellen. Weil ich beinah ertrunken wäre, denkst du gering von mir und meiner Kunst. Aber der Junge war schuld und ertrinken kann am Ende jeder."

Und dabei ging sie von der Veranda her den Steg

entlang auf die zwei Boote zu, deren Segel eingerefft waren, während ihre Wimpel, mit eingesticktem Namen, oben an der Mastspitze flatterten.

„Welches nehmen wir", sagte Botho, „die ‚Forelle' oder die ‚Hoffnung'?"

„Natürlich die Forelle. Was sollen wir mit der Hoffnung?"

Botho hörte wohl heraus, daß dies von Lene mit Absicht und um zu sticheln gesagt wurde, denn so fein sie fühlte, so verleugnete sie doch nie das an kleinen Spitzen Gefallen findende Berliner Kind. Er verzieh ihr aber dies Spitzige, schwieg und war ihr beim Einsteigen behilflich. Dann sprang er nach. Als er gleich darauf das Boot losketteln wollte, kam der Wirt und brachte Jackett und Plaid, weil es bei Sonnenuntergang kalt würde. Beide dankten, und in Kürze waren sie mitten auf dem Strom, der hier, durch Inseln und Landzungen eingeengt, keine dreihundert Schritte breit sein mochte. Lene tat nur dann und wann einen Schlag mit dem Ruder, aber auch diese wenigen Schläge reichten schon aus, sie nach einer kleinen Weile bis an eine hoch in Gras stehende, zugleich als Schiffswerft dienende Wiese zu führen, auf der, in einiger Entfernung von ihnen, ein Spreckahn gebaut und alte, leckgewordene Kähne kalfatert und geteert wurden.

„Dahin müssen wir", jubelte Lene, während sie Botho mit sich fortzog. Aber ehe beide bis an die Schiffsbaustelle heran waren, hörte das Hämmern der Zimmermannsaxt auf und das beginnende Läuten der Glocke verkündete, daß Feierabend sei. So bogen sie denn hundert Schritt von der Werft in einen Pfad ein, der schräg über die Wiese hin, auf einen Kiefernwald zuführte. Die roten Stämme desselben glühten prächtig im Widerschein der schon tief stehenden Sonne, während über den Kronen ein bläulicher Nebel lag.

„Ich möchte dir einen recht schönen Strauß pflücken", sagte Botho, während er Lene bei der Hand nahm.

„Aber sieh nur, die reine Wiese, nichts als Gras und keine Blume. Nicht eine."

„Doch. Die Hülle und Fülle. Du siehst nur keine, weil du zu anspruchsvoll bist."

„Und wenn ich es wäre, so wär' ich es bloß für dich." 5

„Oh, keine Ausflüchte. Du wirst sehen, ich finde welche."

Und sich niederbückend, suchte sie nach rechts und links hin und sagte: „Sieh nur, hier... und da... und hier wieder. Es stehen hier mehr als in Dörr's Garten; 10 man muß nur ein Auge dafür haben." Und so pflückte sie behend und emsig, zugleich allerlei Unkraut und Grashalme mit ausreißend, bis sie, nach ganz kurzer Zeit, eine Menge Brauchbares und Unbrauchbares in Händen hatte. 15

Währenddem waren sie bis an eine seit Jahr und Tag leerstehende Fischerhütte gekommen, vor der, auf einem mit Kienäpfeln überstreuten Sandstreifen (denn der Wald stieg unmittelbar dahinter an) ein umgestülpter Kahn lag. 20

„Der kommt uns zupaß", sagte Botho, „hier wollen wir uns setzen. Du mußt ja müde sein. Und nun laß sehen, was du gepflückt hast. Ich glaube, du weißt es selber nicht und ich werde mich auf den Botaniker hin ausspielen müssen. Gib her. Das ist Ranunkel und das 25 ist Mäuseohr und manche nennen es auch falsches Vergißmeinnicht. Hörst du, falsches. Und hier das mit dem gezackten Blatt, das ist Taraxacum, unsere gute alte Butterblume, woraus die Franzosen Salat machen. Nun meinetwegen. Aber Salat und Bukett ist ein Unter- 30 schied."

„Gib nur wieder her", lachte Lene. „Du hast kein Auge für diese Dinge, weil du keine Liebe dafür hast, und Auge und Liebe gehören immer zusammen. Erst hast du der Wiese die Blumen abgesprochen, und jetzt, 35 wo sie da sind, willst du sie nicht als richtige Blumen gelten lassen. Es sind aber Blumen und noch dazu sehr gute. Was gilt die Wette, daß ich dir etwas Hübsches zusammenstelle."

„Nun da bin ich doch neugierig, was du wählen wirst."

„Nur solche, denen du selber zustimmst. Und nun laß uns anfangen. Hier ist Vergißmeinnicht, aber kein Mäuseohr-Vergißmeinnicht, will sagen kein falsches, sondern ein echtes. Zugestanden?"

„Ja."

„Und das hier ist Ehrenpreis, eine feine kleine Blume. Die wirst du doch auch wohl gelten lassen? Da frag ich gar nicht erst. Und diese große rotbraune das ist Teufelsabbiß und eigens für dich gewachsen. Ja, lache nur. Und das hier", und sie bückte sich nach ein paar gelben Blumenköpfchen, die gerade vor ihr auf der Sand-stelle blühten, „das sind Immortellen."

„Immortellen", sagte Botho. „Die sind ja die Pas-sion der alten Frau Nimptsch. Natürlich, d i e nehmen wir, d i e dürfen nicht fehlen. Und nun binde nur das Sträußchen zusammen."

„Gut. Aber womit? Wir wollen es lassen, bis wir eine Binse finden."

„Nein, so lange will ich nicht warten. Und ein Bin-senhalm ist mir auch nicht gut genug, ist zu dick und zu grob. Ich will was Feines. Weißt du, Lene, du hast so schönes langes Haar; reiß eins aus und flicht den Strauß damit zusammen."

„Nein", sagte sie bestimmt.

„Nein? warum nicht? warum nein?"

„Weil das Sprichwort sagt: ‚Haar bindet.‘ Und wenn ich es um den Strauß binde, so bist du mitgebunden."

„Ach das ist Aberglauben. Das sagt Frau Dörr."

„Nein, die alte Frau sagt es. Und was die mir von Jugend auf gesagt hat, auch wenn es wie Aberglauben aussah, das war immer richtig."

„Nun meinetwegen. Ich streite nicht. Aber ich will kein ander Band um den Strauß als ein Haar von dir.

Und du wirst doch nicht so eigensinnig sein und mir's abschlagen."

Sie sah ihn an, zog ein Haar aus ihrem Scheitel und wand es um den Strauß. Dann sagte sie: „Du hast es gewollt. Hier, nimm es. Nun bist du gebunden." 5

Er versuchte zu lachen, aber der Ernst, mit dem sie das Gespräch geführt und die letzten Worte gesprochen hatte, war doch nicht ohne Eindruck auf ihn geblieben.

„Es wird kühl", sagte er nach einer Weile. „Der Wirt hatte recht, dir Jackett und Plaid nachzubringen. Komm, 10 laß uns aufbrechen."

Und so gingen sie wieder auf die Stelle zu, wo das Boot lag, und eilten sich, über den Fluß zu kommen.

Jetzt erst, im Rückfahren, sahen sie, wie malerisch das Gasthaus dalag, dem sie mit jedem Ruderschlage 15 näher kamen. Eine hohe groteske Mütze, so saß das Schilfdach auf dem niedrigen Fachwerkbau, dessen vier kleine Frontfenster sich eben zu erhellen begannen. Und im selben Augenblicke wurden auch ein paar Windlichter in die Veranda getragen und durch das 20 Gezweige der alten Ulme, das im Dunkel einem phantastischen Gitterwerke glich, blitzten allerlei Lichtstreifen über den Strom hin.

Keiner sprach. Jeder aber hing seinem Glück und der Frage nach, wie lange das Glück noch dauern werde. 25

ZWÖLFTES KAPITEL

Es dunkelte schon, als sie landeten.

„Laß uns diesen Tisch nehmen", sagte Botho, während sie wieder unter die Veranda traten: „Hier trifft dich kein Wind und ich bestelle dir einen Grog oder 30 Glühwein, nicht wahr? Ich sehe ja, du hast es kalt."

Er schlug ihr noch allerlei andres vor, aber Lene bat, auf ihr Zimmer gehn zu dürfen, wenn er dann komme, sei sie wieder munter. Sie sei nur angegriffen und brauche nichts, und wenn sie nur Ruhe habe, so werd' es vorübergehen.

Damit verabschiedete sie sich und stieg in die mittlerweile hergerichtete Giebelstube hinauf, begleitet von der in durchaus irrigen Vermutungen befangenen Wirtin, die sofort neugierig fragte, „was es denn eigentlich sei", und, einer Antwort unbedürftig, im selben Augenblicke fortfuhr: ja, das sei so bei jungen Frauen, das wisse sie von sich selber, und eh' ihr Ältester geboren wurde (jetzt habe sie schon vier und eigentlich fünf, aber der mittelste sei zu früh gekommen und gleich tot), da hätte sie's auch gehabt. Es flög' einen so an und sei dann wie zum Sterben. Aber eine Tasse Melissentee, das heißt Klostermelisse, da fiele es gleich wieder ab und man sei mit eins wieder wie'n Fisch im Wasser und ordentlich aufgekratzt und fidel und ganz zärtlich. „Ja, ja, gnädige Frau, wenn erst so vier um einen 'rumstehen, ohne daß ich den kleinen Engel mitrechne..."

Lene bezwang nur mit Müh' ihre Verlegenheit und bat, um wenigstens etwas zu sagen, um etwas Melissentee, Klostermelisse, wovon sie auch schon gehört habe.

Während oben in der Giebelstube dies Gespräch geführt wurde, hatte Botho Platz genommen, aber nicht innerhalb der windgeschützten Veranda, sondern an einem urwüchsigen Brettertisch, der, in Front derselben, auf vier Pfählen aufgenagelt war und einen freien Blick hatte. Hier wollt' er sein Abendbrot einnehmen. Er bestellte sich denn auch ein Fischgericht und als der „Schlei mit Dill", wofür das Wirtshaus von alter Zeit her ein Renommee hatte, aufgetragen wurde, kam der Wirt, um zu fragen, welchen Wein der Herr Baron, er gab ihm diesen Titel auf gut Glück hin, befohle?

„Nun ich denke", sagte Botho, „zu dem delikaten Schlei paßt am besten ein Brauneberger oder sagen wir lieber ein Rüdesheimer und zum Zeichen, daß er gut ist,

müssen Sie sich zu mir setzen und bei Ihrem eigenen
Weine mein Gast sein."

Der Wirt verbeugte sich unter Lächeln und kam bald
danach mit einer angestaubten Flasche zurück, während
die Magd, eine hübsche Wendin in Friesrock und schwar-
zem Kopftuch, auf einem Tablett die Gläser brachte.

„Nun lassen Sie sehn", sagte Botho. „Die Flasche
verspricht alles mögliche Gute. Zu viel Staub und Spinn-
web ist allemal verdächtig, aber diese hier ... Ah,
superbe. Das ist 70er, nicht wahr? Und nun lassen Sie
uns anstoßen, ja auf was? Auf das Wohl von Hankels
Ablage."

Der Wirt war augenscheinlich entzückt, und Botho,
der wohl sah, welchen guten Eindruck er machte, fuhr
deshalb in dem ihm eigenen leichten und leutseligen
Tone fort: „Ich find es reizend hier und nur eins läßt
sich gegen Hankels Ablage sagen: der Name."

„Ja", bestätigte der Wirt, „der Name, der läßt viel
zu wünschen übrig und ist eigentlich ein Malheur für
uns. Und doch hat es seine Richtigkeit damit, Hankels
Ablage war nämlich wirklich eine Ablage und so heißt
es denn auch so."

„Gut. Aber das bringt uns nicht weiter. Warum hieß
es Ablage? Was ist Ablage?"

„Nun wir könnten auch sagen: Aus- und Einlade-
stelle. Das ganze Stück Land hier herum (und er wies
nach rückwärts) war nämlich immer ein großes Dominium und hieß unter dem Alten Fritzen und auch früher schon unter dem Soldatenkönige die Herrschaft
Wusterhausen. Und es gehörten wohl an die dreißig
Dörfer dazu, samt Forst und Heide. Nun sehen Sie, die
dreißig Dörfer, die schafften natürlich was und brauchten was oder, was dasselbe sagen will, sie hatten Aus-
fuhr und Einfuhr und für beides brauchten sie von Anfang an einen Hafen- oder Stapelplatz und konnte nur
noch zweifelhaft sein, welche Stelle man dafür wählen
würde. Da wählten sie d i e s e hier, diese Bucht wurde

Hafen, Stapelplatz, ‚Ablage‘ für alles was kam und ging und weil der Fischer, der damals hier wohnte, beiläufig mein Ahnherr, Hankel hieß, so hatten wir eine ‚Hankels Ablage‘.“

5 „Schade“, sagte Botho, „daß man's nicht jedem so rund und nett erklären kann“, und der Wirt, der sich hierdurch ermutigt fühlen mochte, wollte fortfahren. Eh' er aber beginnen konnte, hörte man einen Vogelschrei hoch oben in den Lüften, und als Botho neugie-
10 rig hinaufsah, sah er, daß zwei mächtige Vögel, kaum noch erkennbar, im Halbdunkel über der Wasserfläche hinschwebten.

„Waren das wilde Gänse?“

„Nein, Reiher. Die ganze Forst hier herum ist Reiher-
15 Forst. Überhaupt ein rechter Jagdgrund, Schwarzwild und Damwild in Massen und in dem Schilf und Rohr hier Enten, Schnepfen und Bekassinen.“

„Entzückend“, sagte Botho, in dem sich der Jäger regte. „Wissen Sie, daß ich Sie beneide. Was tut schließ-
20 lich der Name? Enten, Schnepfen, Bekassinen. Es überkommt einen eine Lust, daß man's auch so gut haben möchte. Nur einsam muß es hier sein, zu einsam.“

Der Wirt lächelte vor sich hin, und Botho, dem es nicht entging, wurde neugierig und sagte: „Sie lächeln.
25 Aber ist es nicht so? Seit einer halben Stunde hör ich nichts als das Wasser, das unter dem Steg hingluckst, und in diesem Augenblick oben den Reiherschrei. Das nenn ich einsam, so hübsch es ist. Und dann und wann ziehn ein paar große Spreekähne vorüber, aber alle
30 sind einander gleich oder sehen sich wenigstens ähnlich. Und eigentlich ist jeder wie ein Gespensterschiff. Eine wahre Totenstille.“

„Gewiß“, sagte der Wirt. „Aber doch alles nur solang es dauert.“

35 „Wie das?“

„Ja“, wiederholte der Gefragte, „solang es dauert. Sie sprechen von Einsamkeit, Herr Baron, und tagelang ist es auch wirklich einsam hier. Und es können auch Wochen werden. Aber kaum, daß das Eis bricht und das Frühjahr kommt, so kommt auch schon Besuch und der Berliner ist da."

„Wann kommt er?"

„Unglaublich früh. Okuli, da kommen sie. Sehen Sie, Herr Baron, wenn ich, der ich doch ausgewettert bin, immer noch drin in der Stube bleibe, weil der Ostwind pustet und die Märzensonne sticht, setzt sich der Berliner schon ins Freie, legt seinen Sommerüberzieher über den Stuhl und bestellt eine Weiße. Denn sowie nur die Sonne scheint, spricht der Berliner von schönem Wetter. Ob in jedem Windzug eine Lungenentzündung oder Diphtheritis sitzt, ist ihm egal. Er spielt dann am liebsten mit Reifen, einige sind auch für Boccia, und wenn sie dann abfahren, ganz gedunsen von der Prallsonne, dann tut mir mitunter das Herz weh, denn keiner ist darunter, dem nicht wenigstens am andern Tage die Haut abschülbert."

Botho lachte. „Ja, die Berliner! Wobei mir übrigens einfällt, Ihre Spree hier herum muß ja auch die Gegend sein, wo die Ruderer und Segler zusammenkommen und ihre Regatten haben."

„Gewiß", sagte der Wirt. „Aber das will nicht viel sagen. Wenn's viele sind, dann sind es fünfzig oder vielleicht auch mal hundert. Und dann ruht es wieder und ist auf Wochen und Monate hin mit dem ganzen Wassersport vorbei. Nein, die Klubleute, das ist vergleichsweise bequem, das ist zum Aushalten. Aber wenn dann im Juni die Dampfschiffe kommen, dann ist es schlimm. Und dann bleibt es so den ganzen Sommer über oder doch eine lange, lange Weile."

„Glaub's", sagte Botho.

„... Dann trifft jeden Abend ein Telegramm ein. ‚Morgen früh neun Uhr Ankunft auf Spreedampfer Alsen. Tagespartie. 240 Personen.' Und dann folgen die Namen derer, die's arrangiert haben. Einmal geht

das. Aber die Länge hat die Qual. Denn wie verläuft
eine solche Partie? Bis Dunkelwerden sind sie draußen
in Wald und Wiese, dann aber kommt das Abendbrot
und dann tanzen sie bis um elf. Nun werden Sie sagen, ‚das ist nichts Großes‘, und wär’ auch nichts Großes, wenn der andre Tag ein Ruhetag wär’. Aber der
zweite Tag ist wie der erste und der dritte ist wie der
zweite. Jeden Abend um elf dampft ein Dampfer mit
240 Personen ab und jeden Morgen um neun ist ein
Dampfer mit ebensoviel Personen wieder da. Und inzwischen muß doch aufgeräumt und alles wieder klar
gemacht werden. Und so vergeht die Nacht mit Lüften,
Putzen und Scheuern und wenn die letzte Klinke wieder blank ist, ist auch das nächste Schiff schon wieder
heran. Natürlich hat alles auch sein Gutes und wenn
man um Mitternacht Kasse zählt, so weiß man, wofür
man sich gequält hat. ‚Von nichts kommt nichts‘, sagt
das Sprichwort und hat auch ganz recht und wenn ich
all die Maibowlen auffüllen sollte, die hier schon getrunken sind, so müßt’ ich mir ein Heidelberger Faß
anschaffen. Es bringt was ein, gewiß, und ist alles schön
und gut. Aber dafür, daß man vorwärts kommt, kommt
man doch auch rückwärts und bezahlt mit dem Besten,
was man hat, mit Leben und Gesundheit. Denn was
ist Leben ohne Schlaf?“

„Wohl, ich sehe schon“, sagte Botho, „kein Glück ist
vollkommen. Aber dann kommt der Winter und dann
schlafen Sie wie sieben Dächse.“

„Ja, wenn nicht gerade Silvester oder Dreikönigstag
oder Fastnacht ist. Und die sind öfter als der Kalender
angibt. Da sollten Sie das Leben hier sehen, wenn sie,
von zehn Dörfern her, zu Schlitten oder Schlittschuh,
in dem großen Saal, den ich angebaut habe, zusammenkommen. Dann sieht man kein großstädtisch Gesicht
mehr und die Berliner lassen einen in Ruh’, aber der
Großknecht und die Jungemagd, die haben dann ihren
Tag. Da sieht man Otterfellmützen und Manchester-

jacken mit silbernen Buckelknöpfen und allerlei Sol-
daten, die grad auf Urlaub sind, sind mit dabei: Schwed-
ter Dragoner und Fürstenwalder Ulanen, oder wohl
gar Potsdamer Husaren. Und alles ist eifersüchtig und
streitlustig und man weiß nicht, was ihnen lieber ist,   5
das Tanzen oder das Krakeelen, und bei dem kleinsten
Anlaß stehen die Dörfer gegeneinander und liefern sich
ihre Bataillen. Und so toben und lärmen sie die ganze
Nacht durch und ganze Pfannkuchenberge verschwinden und erst bei Morgengrauen geht es über das Strom-   10
eis oder den Schnee hin wieder nach Hause."
   „Da seh ich freilich", sagte Botho, „daß sich von
Einsamkeit und Totenstille nicht gut sprechen läßt. Ein
Glück nur, daß ich von dem allen nicht gewußt habe,
sonst hätt' ich gar nicht den Mut gehabt und wäre fort- 15
geblieben. Und das wäre mir doch leid gewesen, einen
so hübschen Fleck Erde gar nicht gesehen zu haben...
Aber Sie sagten vorhin, ‚was ist Leben ohne Schlaf‘,
und ich fühle, daß Sie recht haben. Ich bin müde trotz
früher Stunde; das macht, glaub ich, die Luft und das   20
Wasser. Und dann muß ich doch auch sehn... Ihre liebe
Frau hat sich so bemüht... Gute Nacht, Herr Wirt.
Ich habe mich verplaudert."
   Und damit stand er auf und ging auf das still gewordene Haus zu.   25

   Lene, die Füße schräg auf dem herangerückten Stuhl,
hatte sich aufs Bett gelegt und eine Tasse von dem Tee
getrunken, den ihr die Wirtin gebracht hatte. Die Ruhe,
die Wärme taten ihr wohl, der Anfall ging vorüber
und sie hätte schon nach kurzer Zeit wieder in die Ve-   30
randa hinuntergehn und an dem Gespräche, das Botho
mit dem Wirte führte, teilnehmen können. Aber ihr
war nicht gesprächig zu Sinn und so stand sie nur auf,
um sich in dem Zimmer umzusehen, für das sie bis dahin kein Auge gehabt hatte.   35
   Und wohl verlohnte sich's. Die Balkenlagen und

Lehmwände hatte man aus alter Zeit her fortbestehen lassen und die geweißte Decke hing so tief herab, daß man sie mit dem Finger berühren konnte, was aber zu bessern gewesen war, das war auch wirklich gebessert worden. An Stelle der kleinen Scheiben, die man im Erdgeschoß noch sah, war hier oben ein großes, bis fast auf die Diele reichendes Fenster eingesetzt worden, das ganz so, wie der Wirt es geschildert, einen prächtigen Blick auf die gesamte Wald- und Wasserszenerie gestattete. Das große Spiegelfenster war aber nicht alles, was Neuzeit und Komfort hier getan hatten. Auch ein paar gute Bilder, mutmaßlich auf einer Auktion erstanden, hingen an den alten, überall Buckel und Blasen bildenden Lehmwänden umher, und just da, wo der vorgebaute Fenstergiebel nach hinten oder, was dasselbe sagen will, nach dem eigentlichen Zimmer zu, die Dachschrägung traf, standen sich ein paar elegante Toilettentische gegenüber. Alles zeigte, daß man die Fischer- und Schifferherberge mit Geflissentlichkeit beibehalten, aber sie doch zugleich auch in ein gefälliges Gasthaus für die reichen Sportsleute vom Segler- und Ruderklub umgewandelt hatte.

Lene fühlte sich angeheimelt von allem, was sie sah, und begann zunächst die rechts und links in breiter Umrahmung über den Bettständen hängenden Bilder zu betrachten. Es waren Stiche, die sie, dem Gegenstande nach, lebhaft interessierten, und so wollte sie gerne wissen, was es mit den Unterschriften auf sich habe. „Washington crossing the Delaware" stand unter dem einen, „The last hour at Trafalgar" unter dem andern. Aber sie kam über ein bloßes Silbenentziffern nicht hinaus, und das gab ihr, so klein die Sache war, einen Stich ins Herz, weil sie sich der Kluft dabei bewußt wurde, die sie von Botho trennte. Der spöttelte freilich über Wissen und Bildung, aber sie war klug genug, um zu fühlen, was von diesem Spotte zu halten war.

Dicht neben der Eingangstür, über einem Rokokotisch, auf dem rote Gläser und eine Wasserkaraffe standen, hing noch eine buntfarbige, mit einer dreisprachi-
gen Unterschrift versehene Lithographie: „Si jeunesse
savait" – ein Bild, das sie sich entsann in der Dörrschen
Wohnung gesehen zu haben. Dörr liebte dergleichen.
Als sie's hier wieder sah, fuhr sie verstimmt zusammen. Ihre feine Sinnlichkeit fühlte sich von dem Lüster-
nen in dem Bilde wie von einer Verzerrung ihres eignen Gefühls beleidigt, und so ging sie denn, den Eindruck wieder loszuwerden, bis an das Giebelfenster
und öffnete beide Flügel, um die Nachtluft einzulassen. Ach, wie sie das erquickte! Dabei setzte sie sich auf
das Fensterbrett, das nur zwei Handbreit über der
Diele war, schlang ihren linken Arm um das Kreuz-
holz und horchte nach der nicht allzu entfernten Veranda hinüber. Aber sie vernahm nichts. Eine tiefe Stille
herrschte, nur in der alten Ulme ging ein Wehen und
Rauschen und alles, was eben noch von Verstimmung
in ihrer Seele geruht haben mochte, das schwand jetzt
hin, als sie den Blick immer eindringlicher und immer
entzückter auf das vor ihr ausgebreitete Bild richtete.
Das Wasser flutete leise, der Wald und die Wiese lagen
im abendlichen Dämmer, und der Mond, der eben
wieder seinen ersten Sichelstreifen zeigte, warf einen
Lichtschein über den Strom und ließ das Zittern seiner
kleinen Wellen erkennen.

„Wie schön", sagte Lene hochaufatmend. „Und ich
bin doch glücklich", setzte sie hinzu.

Sie mochte sich nicht trennen von dem Bilde. Zuletzt
aber erhob sie sich, schob einen Stuhl vor den Spiegel
und begann ihr schönes Haar zu lösen und wieder ein-
zuflechten. Als sie noch damit beschäftigt war, kam
Botho.

„Lene, noch auf! Ich dachte, daß ich dich mit einem
Kusse wecken müßte."

„Dazu kommst du zu früh, so spät du kommst."

Und sie stand auf und ging ihm entgegen. „Mein
einziger Botho. Wie lange du bleibst..."

„Und das Fieber? Und der Anfall?"

„Ist vorüber und ich bin wieder munter, seit einer
halben Stunde schon. Und ebensolange hab ich dich erwartet." Und sie zog ihn mit sich fort an das noch of-
fenstehende Fenster: „Sieh nur. Ein armes Menschen-
herz, soll ihm keine Sehnsucht kommen bei solchem
Anblick?"

Und sie schmiegte sich an ihn und blickte, während
sie die Augen schloß, mit einem Ausdruck höchsten
Glückes zu ihm auf.

DREIZEHNTES KAPITEL

Beide waren früh auf und die Sonne kämpfte noch mit
dem Morgennebel, als sie schon die Stiege herabkamen,
um unten ihr Frühstück zu nehmen. Ein leiser Wind
ging, eine Frühbrise, die die Schiffer nicht gern ungenutzt lassen, und so glitt denn auch, als unser junges
Paar eben ins Freie trat, eine ganze Flottille von Spree-
kähnen an ihnen vorüber.

Lene war noch in ihrem Morgenanzuge. Sie nahm
Bothos Arm und schlenderte mit ihm am Ufer entlang
an einer Stelle hin, die hoch in Schilf und Binsen stand.
Er sah sie zärtlich an. „Lene, du siehst ja aus, wie ich
dich noch gar nicht gesehen habe. Ja, wie sag ich nur?
Ich finde kein anderes Wort, du siehst so glücklich aus."

Und so war es. Ja, sie war glücklich, ganz glücklich
und sah die Welt in einem rosigen Lichte. Sie hatte den
besten, den liebsten Mann am Arm und genoß eine
kostbare Stunde. War das nicht genug? Und wenn diese
Stunde die letzte war, nun so war sie die letzte. War es
nicht schon ein Vorzug, einen solchen Tag durchleben
zu können? Und wenn es auch nur einmal, ein einzig
Mal.

So schwanden ihr alle Betrachtungen von Leid und Sorge, die sonst wohl, ihr selbst zum Trotz, ihre Seele bedrückten, und alles, was sie fühlte, war Stolz, Freude, Dank. Aber sie sagte nichts, sie war abergläubisch und wollte das Glück nicht bereden und nur an einem leisen 5 Zittern ihres Arms gewahrte Botho, wie das Wort „ich glaube, du bist glücklich, Lene" ihr das innerste Herz getroffen hatte.

Der Wirt kam und erkundigte sich artig, wenn auch mit einem Anfluge von Verlegenheit, nach ihrer Nacht- 10 ruhe.

„Vorzüglich", sagte Botho. „Der Melissentee, den Ihre liebe Frau verordnet, hat wahre Wunder getan und die Mondsichel, die uns gerade ins Fenster schien, und die Nachtigallen, die leise schlugen, so leise, daß 15 man sie nur eben noch hören konnte, ja wer wollte da nicht schlafen wie im Paradiese? Hoffentlich wird sich kein Spreedampfer mit zweihundertvierzig Gästen für heute nachmittag angemeldet haben. Das wäre dann freilich die Vertreibung aus dem Paradiese. Sie lächeln 20 und denken ‚wer weiß' und vielleicht hab ich mit meinen Worten den Teufel schon an die Wand gemalt. Aber noch ist er nicht da, noch seh ich keinen Schlot und keine Rauchfahne, noch ist die Spree rein, und wenn auch ganz Berlin schon unterwegs wäre, das Frühstück 25 wenigstens können wir noch in Ruhe nehmen. Nicht wahr? Aber wo?"

„Die Herrschaften haben zu befehlen."

„Nun, dann denk ich unter der Ulme. Die Halle, so schön sie ist, ist doch nur gut, wenn draußen die Sonne 30 brennt. Und sie brennt noch nicht und hat noch drüben am Walde mit dem Nebel zu tun."

Der Wirt ging, das Frühstück anzuordnen, das junge Paar aber setzte seinen Spaziergang fort, bis nach einer diesseitigen Landzunge hin, von der aus sie die roten 35 Dächer eines Nachbardorfes und rechts daneben den spitzen Kirchturm von Königswusterhausen erkennen konnten. Am Rande der Landzunge lag ein angetriebener Weidenstamm. Auf diesen setzten sie sich und sahen von ihm aus zwei Fischersleuten zu, Mann und Frau, die das umstehende Rohr schnitten und die großen Bündel in ihren Prahm warfen. Es war ein hübsches Bild, an dem sie sich erfreuten, und als sie nach einer Weile wieder zurück waren, wurde das Frühstück eben aufgetragen, mehr ein englisches als ein deutsches: Kaffee und Tee, samt Eiern und Fleisch und in einem silbernen Ständer sogar Schnittchen von geröstetem Weißbrot.

„Ah, schau, Lene. Hier müssen wir öfter unser Frühstück nehmen. Was meinst du? Himmlisch. Und sieh nur drüben auf der Werft, da kalfatern sie schon wieder und geht ordentlich im Takt. Wahrhaftig, solch Arbeitstaktschlag ist doch eigentlich die schönste Musik."

Lene nickte, war aber nur halb dabei, denn ihr Interesse galt auch heute wieder dem Wassersteg, freilich nicht den angeketteten Booten, die gestern ihre Passion geweckt hatten, wohl aber einer hübschen Magd, die mitten auf dem Brettergange neben ihrem Küchen- und Kupfergeschirr kniete. Mit einer herzlichen Arbeitslust, die sich in jeder Bewegung ihrer Arme ausdrückte, scheuerte sie die Kannen, Kessel und Kasserollen, und immer wenn sie fertig war, ließ sie das plätschernde Wasser das blankgescheuerte Stück umspülen. Dann hob sie's in die Höh', ließ es einen Augenblick in der Sonne blitzen und tat es in einen nebenstehenden Korb. Lene war wie benommen von dem Bild. „Sieh nur", und sie wies auf die hübsche Person, die sich, so schien es, in ihrer Arbeit gar nicht genugtun konnte.

„Weißt du, Botho, das ist kein Zufall, daß sie da kniet, sie kniet da für mich und ich fühle deutlich, daß es mir ein Zeichen ist und eine Fügung."

„Aber was ist dir nur, Lene? Du veränderst dich ja, du bist ja mit einem Male ganz blaß geworden."

„O nichts."

„Nichts? Und hast doch einen Flimmer im Auge, wie wenn dir das Weinen näher wäre als das Lachen. Du wirst doch schon Kupfergeschirr gesehen haben und auch eine Köchin, die's blank scheuert. Es ist ja fast, als ob du das Mädchen beneidetest, daß sie da kniet und arbeitet wie für drei."

Das Erscheinen des Wirts unterbrach hier das Gespräch, und Lene gewann ihre ruhige Haltung und bald auch ihren Frohmut wieder. Dann aber ging sie hinauf, um sich umzukleiden.

Als sie wiederkam, fand sie, daß inzwischen ein vom Wirt aufgestelltes Programm von Botho bedingungslos angenommen war: ein Segelboot sollte das junge Paar nach dem nächsten Dorfe, dem reizend an der wendischen Spree gelegenen Nieder-Löhme bringen, von welchem Dorf aus sie den Weg bis Königswusterhausen zu Fuß machen, daselbst Park und Schloß besuchen und dann auf demselben Wege zurückkommen wollten. Es war eine Halbtagspartie. Über den Nachmittag ließ sich dann weiter verfügen.

Lene war es zufrieden und schon wurden ein paar Decken in das rasch instand gesetzte Boot getragen, als man vom Garten her Stimmen und herzliches Lachen hörte, was auf Besuch zu deuten und eine Störung ihrer Einsamkeit in Aussicht zu stellen schien.

„Ah, Segler und Ruderklubleute", sagte Botho. „Gott sei Dank, daß wir ihnen entgehen, Lene. Laß uns eilen."

Und beide brachen auf, um so rasch wie möglich ins Boot zu kommen. Aber ehe sie noch den Wassersteg erreichen konnten, sahen sie sich bereits umstellt und eingefangen. Es waren Kameraden und noch dazu die intimsten: Pitt, Serge, Balafré. Alle drei mit ihren Damen.

„Ah les beaux esprits se rencontrent", sagte Balafré voll übermütiger Laune, die jedoch rasch einer gesetzteren Haltung wich, als er wahrnahm, daß er von der Hausschwelle her, auf der Wirt und Wirtin standen, beobachtet wurde. „Welche glückliche Begegnung an dieser Stelle. Gestatten Sie mir, Gaston, Ihnen unsere Damen vorstellen zu dürfen: Königin Isabeau, Fräulein Johanna, Fräulein Margot."

Botho sah, welche Parole heute galt, und sich rasch hineinfindend, entgegnete er, nunmehr auch seinerseits vorstellend, mit leichter Handbewegung auf Lene: „Mademoiselle Agnes Sorel."

Alle drei Herren verneigten sich artig, ja dem Anscheine nach sogar respektvoll, während die beiden Töchter Thibaut d'Arcs einen überaus kurzen Knicks machten und der um wenigstens fünfzehn Jahre älteren Königin Isabeau eine freundlichere Begrüßung der ihnen unbekannten und sichtlich unbequemen Agnes Sorel überließen.

Das Ganze war eine Störung, vielleicht sogar eine geplante, je mehr dies aber zutreffen mochte, desto mehr gebot es sich, gute Miene zum bösen Spiel zu machen. Und dies gelang Botho vollkommen. Er stellte Fragen über Fragen und erfuhr bei der Gelegenheit, daß man, zu früher Stunde schon, mit einem der kleineren Spreedampfer bis Schmöckwitz und von dort aus mit einem Segelboote bis Zeuthen gefahren sei. Von Zeuthen aus habe man den Weg zu Fuß gemacht, keine zwanzig Minuten; es sei reizend gewesen: alte Bäume, Wiesen und rote Dächer.

Während der gesamte neue Zuzug, besonders aber die wohlarrondierte Königin Isabeau, die sich beinah mehr noch durch Sprechfähigkeit als durch Abrundung auszeichnete, diese Mitteilungen machte, hatte man, zwanglos promenierend, die Veranda erreicht, wo man an einem der langen Tische Platz nahm.

„Allerliebst", sagte Serge. „Weit, frei und offen und doch so verschwiegen. Und die Wiese drüben wie geschaffen für eine Mondscheinpromenade."

„Ja", setzte Balafré hinzu, „Mondscheinpromenade. Hübsch, sehr hübsch. Aber wir haben erst zehn Uhr früh, macht bis zur Mondscheinpromenade runde zwölf Stunden, die doch untergebracht sein wollen. Ich proponiere Wasserkorso." 5

„Nein", sagte Isabeau, „Wasserkorso geht nicht, davon haben wir heute schon über und über gehabt. Erst Dampfschiff, dann Boot und nun wieder Boot, das ist zuviel. Ich bin dagegen. Überhaupt, ich begreife nicht, was dies ewige Pätscheln soll; dann fehlt bloß noch, 10 daß wir angeln oder die Ykleis mit der Hand greifen und uns über die kleinen Biester freuen. Nein, gepätschelt wird heute nicht mehr. Darum muß ich sehr bitten."

Die Herren, an die sich diese Worte richteten, amü- 15 sierten sich ersichtlich über die Dezidiertheit der Königinmutter und machten sofort andre Vorschläge, deren Schicksal aber dasselbe war. Isabeau verwarf alles und bat, als man schließlich ihr Gebaren halb in Scherz und halb in Ernst zu mißbilligen anfing, einfach um Ruhe. 20 „Meine Herren", sagte sie, „Geduld. Ich bitte, mir wenigstens einen Augenblick das Wort zu gönnen." Ironischer Beifall antwortete, denn nur s i e hatte bis dahin gesprochen. Aber unbekümmert darum fuhr sie fort: „Meine Herren, ich bitte Sie, lehren Sie mich die Her- 25 rens kennen. Was heißt Landpartie? Landpartie heißt frühstücken und ein Jeu machen. Hab ich recht?"

„Isabeau hat immer recht", lachte Balafré und gab ihr einen Schlag auf die Schulter. „Wir machen ein Jeu. Der Platz hier ist kapital; ich glaube beinah, jeder muß 30 hier gewinnen. Und die Damen promenieren derweilen oder machen vielleicht ein Vormittagsschläfchen. Das soll das gesundeste sein und anderthalb Stunden wird ja wohl ausreichen. Und um zwölf Uhr Reunion. Menu nach dem Ermessen unserer Königin. Ja, Königin, das 35 Leben ist doch schön. Zwar aus Don Carlos. Aber muß denn alles aus der Jungfrau sein?"

Das schlug ein und die zwei Jüngeren kicherten, obwohl sie bloß das Stichwort verstanden hatten. Isabeau
dagegen, die bei solcher antippenden und beständig in
kleinen Anzüglichkeiten sich ergehenden Sprache groß
5 geworden war, blieb vollkommen würdevoll und sagte,
während sie sich zu den drei anderen Damen wandte:
„Meine Damen, wenn ich bitten darf: wir sind jetzt
entlassen und haben zwei Stunden für uns. Übrigens
nicht das Schlimmste."

10 Damit erhoben sie sich und gingen auf das Haus zu,
wo die Königin in die Küche trat und unter freund-
lichem, aber doch überlegenem Gruße nach dem Wirte
fragte. Dieser war nicht zugegen, weshalb die junge
Frau versprach, ihn aus dem Garten abrufen zu wol-
15 len, Isabeau aber litt es nicht, „sie werde selber gehn",
und ging auch wirklich, immer gefolgt von ihrem Drei-
Damen-Kortege (Balafré sprach von Klucke mit Küken), nach dem Garten hinaus, wo sie den Wirt bei der
Anlage neuer Spargelbeete traf. Unmittelbar daneben
20 lag ein altmodisches Treibhaus, vorne ganz niedrig,
mit großen schrägliegenden Fenstern, auf dessen etwas
abgebröckeltes Mauerwerk sich Lene samt den Töchtern
Thibaut d'Arcs setzte, während Isabeau die Verhandlungen leitete.

25 „Wir kommen, Herr Wirt, um wegen des Mittags-
brots mit Ihnen zu sprechen. Was können wir haben?"
„Alles was die Herrschaften befehlen."
„Alles? das ist viel, beinah zu viel. Nun, dann bin
ich für Aal. Aber nicht so, sondern so." Und sie wies,
30 während sie das sagte, von ihrem Fingerring auf das
breite, dicht anliegende Armband.
„Tut mir leid, meine Damen", erwiderte der Wirt.
„Aal ist nicht. Überhaupt Fisch; damit kann ich nicht dienen, der ist Ausnahme. Gestern hatten wir Schlei mit Dill,
35 aber der war aus Berlin. Wenn ich einen Fisch haben
will, muß ich ihn vom Köllnischen Fischmarkt holen."

„Schade. Da hätten wir einen mitbringen können. Aber was dann?"

„Einen Rehrücken."

„Hm, das läßt sich hören. Und vorher etwas Gemüse. Spargel ist schon eigentlich zu spät, oder doch beinah. Aber Sie haben da, wie ich sehe, noch junge Bohnen. Und hier in dem Mistbeet wird sich ja wohl auch noch etwas finden lassen, ein paar Gurken oder ein paar Rapunzeln. Und dann eine süße Speise. So was mit Schlagsahne. Mir persönlich liegt nicht daran, aber die Herren, die beständig so tun, als machten sie sich nichts daraus, die sind immer fürs Süße. Also drei, vier Gänge, denk ich. Und dann Butterbrot und Käse."

„Und bis wann befehlen die Herrschaften?"

„Nun ich denke bald, oder doch wenigstens so bald wie möglich. Nicht wahr? Wir sind hungrig und wenn der Rehrücken eine halbe Stunde Feuer hat, hat er genug. Also sagen wir um zwölf. Und wenn ich bitten darf, eine Bowle: ein Rheinwein, drei Mosel, drei Champagner. Aber gute Marke. Glauben Sie nicht, daß sich's vertut. Ich kenne das und schmecke heraus, ob Moët oder Mumm. Aber Sie werden schon machen; ich darf sagen, Sie flößen mir ein Vertrauen ein. Apropos, können wir nicht aus Ihrem Garten gleich in den Wald? Ich hasse jeden unnützen Schritt. Und vielleicht finden wir noch Champignons. Das wäre himmlisch. Die können dann noch an den Rehrücken, Champignons verderben nie was."

Der Wirt bejahte nicht bloß die hinsichtlich des bequemeren Weges gestellte Frage, sondern begleitete die Damen auch persönlich bis an die Gartenpforte, von der aus man bis zur Waldlisière nur ein paar Schritte hatte. Bloß eine chaussierte Straße lief dazwischen. Als diese passiert war, war man drüben im Waldesschatten, und Isabeau, die stark unter der immer größer werdenden Hitze litt, pries sich glücklich, den verhältnismäßig weiten Umweg über ein baumloses Stück Grasland vermieden zu haben. Sie machte den eleganten, aber mit einem großen Fettfleck ausstaffierten Sonnenschirm zu, hing ihn an ihren Gürtel und nahm Lenens Arm, während die beiden andern Damen folgten. Isabeau war augenscheinlich in bester Stimmung und sagte, sich umwendend, zu Margot und Johanna: „Wir müssen aber doch ein Ziel haben. So bloß Wald und wieder Wald is eigentlich schrecklich. Was meinen Sie, Johanna?"

Johanna war die größere von den beiden d'Arcs, sehr hübsch, etwas blaß und mit raffinierter Einfachheit gekleidet. Serge hielt darauf. Ihre Handschuh saßen wundervoll und man hätte sie für eine Dame halten können, wenn sie nicht, während Isabeau mit dem Wirte sprach, den einen Handschuhknopf, der aufgesprungen war, mit den Zähnen wieder zugeknöpft hätte.

„Was meinen Sie, Johanna?" wiederholte die Königin ihre Frage.

„Nun, dann schlag ich vor, daß wir nach dem Dorfe zurückgehn, von dem wir gekommen sind. Es hieß ja wohl Zeuthen und sah so romantisch und so melancholisch aus und war ein so hübscher Weg hierher. Und zurück muß er eigentlich ebenso hübsch sein oder vielleicht noch hübscher. Und an der rechten, das heißt also von hier aus an der linken Seite, war ein Kirchhof mit lauter Kreuzer drauf. Und ein sehr großes von Marmohr."

„Ja, liebe Johanna, das ist alles ganz gut, aber was sollen wir damit? Wir haben ja den Weg gesehen. Oder wollen Sie den Kirchhof ..."

„Freilich will ich. Ich habe da so meine Gefühle, besonders an solchem Tage wie heute. Und es ist immer gut, sich zu erinnern, daß man sterben muß. Und wenn dann der Flieder so blüht..."

„Aber, Johanna, der Flieder blüht ja gar nicht mehr, höchstens noch der Goldregen und der hat eigentlich auch schon Schoten. Du meine Güte, wenn Sie so partout für Kirchhöfe sind, so können Sie sich ja den in der Oranienstraße jeden Tag ansehen. Aber ich weiß schon, mit Ihnen ist nicht zu reden. Zeuthen und Kirchhof, alles Unsinn. Da bleiben wir doch lieber hier und sehen gar nichts. Kommen Sie, Kleine, geben Sie mir Ihren Arm wieder."

Die Kleine, die durchaus nicht klein war, war Lene. Sie gehorchte. Die Königin aber fuhr jetzt, indem sie wieder voraufging, in vertraulichem Tone fort: „Ach, diese Johanna, man kann eigentlich nicht mit ihr umgehn; sie hat keinen guten Ruf und is eine Gans. Ach, Kind, Sie glauben gar nicht, was jetzt alles so mitläuft; nu ja, sie hat 'ne hübsche Figur und hält auf ihre Handschuh. Aber sie sollte lieber auf was andres halten. Und sehen Sie, die, die so sind, die reden immer von sterben und Kirchhof. Und nun sollen Sie sie nachher sehn! Solang es so geht, geht es. Aber wenn dann die Bowle kommt und wieder leer is und wieder kommt, dann quietscht und johlt sie. Keine Idee von Anstand. Aber wo soll es auch herkommen? Sie war immer bloß bei kleinen Leuten, draußen auf der Chaussee nach Tegel, wo kein Mensch recht hinkommt und bloß mal Artillerie vorbeifährt. Und Artillerie... Nu ja... Sie glauben gar nich, wie verschieden das alles ist. Und nun hat sie der Serge da 'rausgenommen und will was aus ihr machen. Ja, du meine Güte, so geht das nicht, oder wenigstens nicht so flink; gut Ding will Weile haben. Aber da sind ja noch Erdbeeren. Ei, das ist nett. Kommen Sie Kleine, wir wollen welche pflücken (wenn nur das verdammte Bücken nicht wär') und wenn wir eine recht große finden, dann wollen wir sie mitnehmen. Die steck ich ihm dann in den Mund und dann freut er sich. Denn Sie müssen wissen, er ist ein Mann wie'n Kind und eigentlich der Beste."

Lene, die wohl merkte, daß es sich um Balafré handelte, tat ein paar Fragen und frug unter anderm auch

wieder, warum die Herren eigentlich die sonderbaren
Namen hätten? Sie habe schon früher danach gefragt,
aber nie was gehört, was der Rede wert gewesen wäre.

„Jott", sagte die Königin, „es soll so was sein und
soll keiner was merken und is doch alles bloß Ziererei.
Denn erstens kümmert sich keiner drum und wenn sich
einer drum kümmert, is es auch noch so. Und warum
auch? Wen soll es denn schaden? Sie haben sich alle
nichts vorzuwerfen und einer ist wie der andre."

Lene sah vor sich hin und schwieg.

„Und eigentlich, Kind, und Sie werden das auch
noch sehn, eigentlich is es alles bloß langweilig. Eine
Weile geht es und ich will nichts dagegen sagen und
will's auch nicht abschwören. Aber die Länge hat die
Last. So von fuffzehn an und noch nich mal eingesegnet. Wahrhaftig, je bälder man wieder 'raus ist, desto
besser. Ich kaufe mir denn (denn das Geld krieg ich)
'ne Dest'lation und weiß auch schon wo und denn heirat ich mir einen Wittmann und weiß auch schon wen.
Und er will auch. Denn das muß ich Ihnen sagen, ich
bin für Ordnung und Anständigkeit und die Kinder
orndtlich erziehn und ob es seine sind oder meine, is
janz egal . . . Und wie is es denn eigentlich mit Ihnen?"

Lene sagte kein Wort.

„Jott, Kind, Sie verfärben sich ja; Sie sind woll am
Ende mit h i e r dabei (und sie wies aufs Herz) und tun
alles aus Liebe? Ja, Kind, d e n n is es schlimm, denn
gibt es 'nen Kladderadatsch."

Johanna folgte mit Margot. Sie blieben absichtlich
etwas zurück und brachen sich Birkenreiser ab, wie
wenn sie vorhätten, einen Kranz daraus zu flechten.
„Wie gefällt sie dir denn?" sagte Margot. „Ich meine
die von Gaston."

„Gefallen? gar nich. Das fehlt auch noch, daß solche
mitspielen und in Mode kommen! Sieh doch nur, wie
ihr die Handschuh sitzen. Und mit dem Hut is auch

nicht viel. Er dürfte sie gar nicht so gehn lassen. Und
sie muß auch dumm sein, sie spricht ja kein Wort."

„Nein", sagte Margot, „dumm ist sie nicht; sie hat's
bloß noch nich weg. Und daß sie sich gleich an die gute
Dicke 'ranmacht, das is doch auch klug genug."

„Ach, die gute Dicke. Geh mir mit der. Die denkt,
sie is es. Aber es is gar nichts mit ihr. Ich will ihr sonst
nichts nachsagen, aber falsch ist sie, falsch wie Galgen-
holz."

„Nein, Johanna, falsch is sie nu grade nich. Und sie
hat dir auch öfter aus der Patsche geholfen. Du weißt
schon, was ich meine."

„Gott, warum? Weil sie selber mit drinsaß und weil
sie sich ewig ziert und wichtig tut. Wer so dick ist, ist
nie gut."

„Jott, Johanna, was du nur redst. Umgekehrt is es,
die Dicken sind immer gut."

„Na meinetwegen. Aber das kannst du nicht bestrei-
ten, daß sie 'ne lächerliche Figur macht. Sieh doch nur,
wie sie dahinwatschelt; wie 'ne Fettente. Und immer
bis oben 'ran zu, bloß weil sie sich sonst vor anständigen Leuten gar nicht sehen lassen kann. Und, Margot,
das laß ich mir nicht nehmen, ein bißchen schlanke Figur
ist doch die Hauptsache. Wir sind doch noch keine Türken. Und warum wollte sie nicht mit auf den Kirchhof?
Weil sie sich jrault? I bewahre, sie denkt nich dran,
bloß weil sie sich wieder eingeknallt hat und es vor
Hitze nicht aushalten kann. Und is eigentlich nich mal
so furchtbar heiß heute."

So gingen die Gespräche, bis sich die beiden Paare
schließlich wieder vereinigten und auf einen mit Moos
bewachsenen Grabenrand setzten.

Isabeau sah öfter nach der Uhr; der Zeiger wollte
nicht recht vom Fleck.

Als es aber halb zwölf war, sagte sie: „Nun, meine
Damen, ist es Zeit; ich denke wir haben jetzt gerade

genug Natur gehabt und können mit Fug und Recht
zu was andrem übergehen. Seit heute früh um sieben
eigentlich keinen Bissen. Denn die Grünauer Schinken-
stulle kann ich doch nicht rechnen... Aber Gott sei
Dank, alles Entsagen, sagt Balafré, hat seinen Lohn in
sich und Hunger ist der beste Koch. Kommen Sie, meine Damen, der Rehrücken fängt an wichtiger zu werden als alles andre. Nicht wahr, Johanna?"

Diese gefiel sich in einem Achselzucken und suchte
die Zumutung, als ob Dinge wie Rehrücken und Bowle
je Gewicht für sie haben könnten, entschieden abzuleh-
nen.

Isabeau aber lachte. „Nun, wir werden ja sehn, Johanna. Freilich der Zeuthner Kirchhof wäre besser gewesen. Aber man muß nehmen, was man hat."

Und damit brachen allesamt auf, um aus dem Wald
in den Garten und aus diesem, drin sich ein paar Zitronenvögel eben haschten, bis in die Front des Hauses,
wo gegessen werden sollte, zurückzukehren.

Im Vorübergehen an der Gaststube sah Isabeau den
mit dem Umstülpen einer Moselweinflasche beschäftigten Wirt.

„Schade", sagte sie, „daß ich grade d a s sehen mußte.
Das Schicksal hätte mir auch einen besseren Anblick
gönnen können. Warum gerade Mosel?"

VIERZEHNTES KAPITEL

Eine rechte Heiterkeit hatte nach diesem Spaziergange
trotz aller von Isabeau gemachten Anstrengungen nicht
mehr aufkommen wollen, was aber, wenigstens für Botho und Lene, das Schlimmere war, war das, daß diese
Heiterkeit auch ausblieb, als sich beide von den Kameraden und ihren Damen verabschiedet und ganz allein,
in einem nur von ihnen besetzten Kupee, die Rückfahrt

angetreten hatten. Eine Stunde später waren sie, ziemlich herabgestimmt, auf dem trübselig erleuchteten Görlitzer Bahnhof eingetroffen und hier, beim Aussteigen, hatte Lene sofort und mit einer Art Dringlichkeit gebeten, sie den Weg durch die Stadt hin allein machen zu lassen, „sie seien ermüdet und abgespannt und das tue nicht gut", Botho aber war von dem, was er als schuldige Rücksicht und Kavalierspflicht ansah, nicht abzubringen gewesen, und so hatten sie denn in einer klapprigen alten Droschke die lange, lange Fahrt am Kanal hin gemeinschaftlich gemacht, immer bemüht, ein Gespräch über die Partie und wie „hübsch sie gewesen sei", zustande zu bringen – eine schreckliche Zwangsunterhaltung, bei der Botho nur zu sehr gefühlt hatte, wie richtig Lenens Empfindung gewesen war, als sie von dieser Begleitung in beinahe beschwörendem Tone nichts hatte wissen wollen. Ja, der Ausflug nach „Hankels Ablage", von dem man sich so viel versprochen und der auch wirklich so schön und glücklich begonnen hatte, war in seinem Ausgange nichts als eine Mischung von Verstimmung, Müdigkeit und Abspannung gewesen und nur im letzten Augenblick, wo Botho liebevoll freundlich und mit einem gewissen Schuldbewußtsein sein „gute Nacht, Lene" gesagt hatte, war diese noch einmal auf ihn zugeeilt und hatte, seine Hand ergreifend, ihn mit beinah leidenschaftlichem Ungestüm geküßt: „Ach, Botho, es war heute nicht so, wie's hätte sein sollen, und doch war niemand schuld... Auch die andern nicht."

„Laß es, Lene."

„Nein, nein. Es war niemand schuld, dabei bleibt es, daran ist nichts zu ändern. Aber daß es so ist, das ist eben das Schlimme daran. Wenn wer schuld hat, dann bittet man um Verzeihung und dann ist es wieder gut. Aber das nutzt uns nichts. Und es ist auch nichts zu verzeihn."

„Lene..."

„Du mußt noch einen Augenblick hören. Ach, mein einziger Botho, du willst es mir verbergen, aber es geht zu End'. Und rasch, ich weiß es."

„Wie du nur sprichst."

„Ich hab es freilich nur geträumt", fuhr Lene fort. „Aber warum hab ich es geträumt? weil es mir den ganzen Tag vor der Seele steht. Mein Traum war nur, was mir mein Herz eingab. Und was ich dir noch sagen wollte, Botho, und warum ich dir die paar Schritte nachgelaufen bin: es bleibt doch bei dem, was ich dir gestern abend sagte. Daß ich diesen Sommer leben konnte, war mir ein Glück und bleibt mir ein Glück, auch wenn ich von heut ab unglücklich werde."

„Lene, Lene, sprich nicht so…"

„Du fühlst selbst, daß ich recht habe; dein gutes Herz sträubt sich nur, es zuzugestehen und will es nicht wahr haben. Aber ich weiß es: gestern, als wir über diese Wiese gingen und plauderten und ich dir den Strauß pflückte, das war unser letztes Glück und unsere letzte schöne Stunde."

Mit diesem Gespräche hatte der Tag geschlossen und nun war der andre Morgen, und die Sommersonne schien hell in Bothos Zimmer. Beide Fenster standen auf und in den Kastanien draußen quirilierten die Spatzen. Botho selbst, aus einem Meerschaum rauchend, lag zurückgelehnt in seinem Schaukelstuhl und schlug dann und wann mit einem neben ihm liegenden Taschentuche nach einem großen Brummer, der, wenn er zu dem einen Fenster hinaus war, sofort wieder an dem andern erschien, um Botho hartnäckig und unerbittlich zu umsummen.

„Daß ich diese Bestie doch los wäre. Quälen, martern möcht' ich sie. Diese Brummer sind allemal Unglücksboten und so hämisch zudringlich, als freuten sie sich über den Ärger, dessen Herold und Verkündiger sie sind." In diesem Augenblicke schlug er wieder danach.

„Wieder fort. Es hilft nichts. Also Resignation. Ergebung ist überhaupt das Beste. Die Türken sind die klügsten Leute."

Das Zuschlagen der kleinen Gittertür draußen ließ ihn während dieses Selbstgesprächs auf den Vorgarten blicken und dabei des eben eingetretenen Briefträgers gewahr werden, der ihm gleich danach, unter leichtem militärischen Gruß und mit einem „guten Morgen, Herr Baron" erst eine Zeitung und dann einen Brief in das nicht allzu hohe Parterrefenster hineinreichte. Botho warf die Zeitung beiseite, zugleich den Brief betrachtend, auf dem er die kleine, dichtstehende, trotzdem aber sehr deutliche Handschrift seiner Mutter unschwer erkannt hatte. „Dacht ich's doch... Ich weiß schon, eh' ich gelesen. Arme Lene."

Und nun brach er den Brief auf und las:

„Schloß Zehden. 29. Juni 1875. Mein lieber Botho. Was ich Dir als Befürchtung in meinem letzten Briefe mitteilte, das hat sich nun erfüllt: Rothmüller in Arnswalde hat sein Kapital zum 1. Oktober gekündigt und nur ‚aus alter Freundschaft' hinzugefügt, daß er bis Neujahr warten wolle, wenn es mir eine Verlegenheit schaffe. ‚Denn er wisse wohl, was er dem Andenken des seligen Herrn Barons schuldig sei.' Diese Hinzufügung, so gut sie gemeint sein mag, ist doch doppelt empfindlich für mich; es mischt sich so viel prätentiöse Rücksichtnahme mit ein, die niemals angenehm berührt, am wenigsten von solcher Seite her. Du begreifst vielleicht die Verstimmung und Sorge, die mir diese Zeilen geschaffen haben. Onkel Kurt Anton würde helfen, wie schon bei früherer Gelegenheit, er liebt mich und vor allem Dich, aber seine Geneigtheit immer wieder in Anspruch zu nehmen, hat doch etwas Bedrückliches und hat es um so mehr, als er unsrer ganzen Familie, speziell aber uns beiden, die Schuld an unsren ewigen Verlegenheiten zuschiebt. Ich bin ihm, trotz meines redlichen Kümmerns um die Wirtschaft, nicht

wirtschaftlich und anspruchslos genug, worin er recht
haben mag, und Du bist ihm nicht praktisch und le-
bensklug genug, worin er wohl ebenfalls das Richtige
treffen wird. Ja, Botho, so liegt es. Mein Bruder ist ein
Mann von einem sehr feinen Rechts- und Billigkeits-
gefühl und von einer in Geldangelegenheiten geradezu
hervorragenden Gentilezza, was man nur von wenigen
unsrer Edelleute sagen kann. Denn unsre gute Mark
Brandenburg ist die Sparsamkeits- und wo geholfen
werden soll sogar die Ängstlichkeitsprovinz, aber so
gentil er ist, er hat seine Launen und Eigenwilligkei-
ten, und sich in diesen beharrlich gekreuzt zu sehen,
hat ihn seit einiger Zeit aufs ernsthafteste verstimmt.
Er sagte mir, als ich letzthin Veranlassung nahm, der
uns abermals drohenden Kapitalskündigung zu gedenken: ,Ich stehe gern zu Diensten, Schwester, wie
Du weißt, aber ich bekenne Dir offen, immer da helfen
zu sollen, wo man sich in jedem Augenblicke selber helfen könnte, wenn man nur etwas einsichtiger und etwas weniger eigensinnig wäre, das erhebt starke Zu-
mutungen an d i e Seite meines Charakters, die nie meine hervorragendste war: an meine Nachgiebigkeit...'
Du weißt, Botho, worauf sich diese seine Worte be-
ziehen, und ich lege sie heute D i r ans Herz, wie sie damals, von Onkel Kurt Antons Seite, mir ans Herz gelegt wurden. Es gibt nichts, was Du, Deinen Worten
und Briefen nach zu schließen, mehr perhorreszierst als
Sentimentalitäten, und doch fürcht ich, steckst Du selber drin und zwar tiefer als Du zugeben willst oder
vielleicht weißt. Ich sage nicht mehr."

Rienäcker legte den Brief aus der Hand und schritt
im Zimmer auf und ab, während er den Meerschaum
halb mechanisch mit einer Zigarette vertauschte. Dann
nahm er den Brief wieder und las weiter. »Ja, Botho,
Du hast unser aller Zukunft in der Hand und hast zu
bestimmen, ob dies Gefühl einer beständigen Abhän-
gigkeit fortdauern oder aufhören soll. Du hast es in

der Hand, sag ich, aber wie ich freilich hinzufügen muß, nur kurze Zeit noch, jedenfalls nicht auf lange mehr. Auch darüber hat Onkel Kurt Anton mit mir gesprochen, namentlich im Hinblick auf die Sellenthiner Mama, die sich, bei seiner letzten Anwesenheit in Rothenmoor, in dieser sie lebhaft beschäftigenden Sache nicht nur mit großer Entschiedenheit, sondern auch mit einem Anflug von Gereiztheit ausgesprochen hat. Ob das Haus Rienäcker vielleicht glaube, daß ein immer kleiner werdender Besitz nach Art der Sibyllinischen Bücher (wo sie den Vergleich her hat, weiß ich nicht) immer wertvoller würde? Käthe werde nun zweiundzwanzig, habe den Ton der großen Welt und verfüge mit Hilfe der von ihrer Tante Kielmannsegge herstammenden Erbschaft über ein Vermögen, dessen Zinsbetrag hinter dem Kapitalsbetrag der Rienäckerschen Heide samt Muränensee nicht sehr erheblich zurückbleiben werde. Solche junge Dame lasse man überhaupt nicht warten, am wenigsten aber mit so viel Beharrlichkeit und Seelenruhe. Wenn es Herrn von Rienäcker beliebe, das, was früher darüber von seiten der Familie geplant und gesprochen sei, fallen zu lassen und stattgehabte Verabredungen als bloßes Kinderspiel anzusehn, so habe sie nichts dagegen. Herr von Rienäcker s e i frei von dem Augenblick an, wo er frei sein wolle. Wenn er aber umgekehrt vorhabe, von dieser unbedingten Rückzugsfreiheit nicht Gebrauch machen zu wollen, so sei es an der Zeit, auch das zu zeigen. Sie wünsche nicht, daß ihre Tochter in das Gerede der Leute komme.

Du wirst dem Tone, der hieraus spricht, unschwer entnehmen, daß es durchaus nötig ist, Entschlüsse zu fassen und zu handeln. Was ich wünsche, weißt Du. Meine Wünsche sollen aber nicht verbindlich für Dich sein. Handle, wie Dir eigene Klugheit es eingibt, entscheide Dich so oder so, nur handle überhaupt. Ein Rückzug ist ehrenvoller als fernere Hinausschiebung.

Säumst Du länger, so verlieren wir nicht nur die Braut, sondern das Sellenthiner Haus überhaupt und, was noch schlimmer, ja das Schlimmste ist, auch die freundlichen und immer hilfebereiten Gesinnungen des Onkels. Meine Gedanken begleiten Dich, möchten sie Dich auch leiten können. Ich wiederhole Dir, es wäre der Weg zu Deinem und unser aller Glück. Womit ich verbleibe Deine Dich liebende Mutter Josephine von R."

Botho, als er gelesen, war in großer Erregung. Es war so, wie der Brief es aussprach, und ein Hinausschieben nicht länger möglich. Es stand nicht gut mit dem Rienäckerschen Vermögen, und Verlegenheiten waren da, die durch eigne Klugheit und Energie zu heben er durchaus nicht die Kraft in sich fühlte. „Wer bin ich? Durchschnittsmensch aus der sogenannten Obersphäre der Gesellschaft. Und was kann ich? Ich kann ein Pferd stallmeistern, einen Kapaun tranchieren und ein jeu machen. Das ist alles und so hab ich denn die Wahl zwischen Kunstreiter, Oberkellner und Croupier. Höchstens kommt noch der Troupier hinzu, wenn ich in eine Fremdenlegion eintreten will. Und Lene dann mit mir als Tochter des Regiments. Ich sehe sie schon in kurzem Rock und Hackenstiefeln und ein Tönnchen auf dem Rücken."

In diesem Tone sprach er weiter und gefiel sich darin, sich bittre Dinge zu sagen. Endlich aber zog er die Klingel und beorderte sein Pferd, weil er ausreiten wolle. Und nicht lange, so hielt seine prächtige Fuchsstute draußen, ein Geschenk des Onkels, zugleich der Neid der Kameraden. Er hob sich in den Sattel, gab dem Burschen einige Weisungen und ritt auf die Moabiter Brücke zu, nach deren Passierung er in einen breiten, über Fenn und Feld in die Jungfernheide hinüberführenden Weg einlenkte. Hier ließ er sein Pferd aus dem Trab in den Schritt fallen und nahm sich, während er bis dahin allerhand unklaren Gedanken nachgehangen hatte, mit jedem Augenblicke fester und schärfer ins Verhör. „Was ist es denn, was mich hindert, den Schritt zu tun, den alle Welt erwartet? Will ich Lene heiraten? Nein. Hab ich's ihr versprochen? Nein. Erwartet sie's? Nein. Oder wird uns die Trennung leichter, wenn ich sie hinausschiebe? Nein. Immer nein und wieder nein. Und doch säume und schwanke ich, das eine zu tun, was durchaus getan werden muß. Und weshalb säume ich? Woher diese Schwankungen und Vertagungen? Törichte Frage. Weil ich sie liebe." 10

Kanonenschüsse, die vom Tegler Schießplatz herüberklangen, unterbrachen hier sein Selbstgespräch, und erst als er das momentan unruhig gewordene Pferd wieder beruhigt hatte, nahm er den früheren Gedankengang wieder auf und wiederholte: „Weil ich sie 15 liebe! Ja. Und warum soll ich mich dieser Neigung schämen? Das Gefühl ist souverän und die Tatsache, daß man liebt, ist auch das Recht dazu, möge die Welt noch so sehr den Kopf darüber schütteln oder von Rätsel sprechen. Übrigens ist es kein Rätsel und wenn doch, 20 so kann ich es lösen. Jeder Mensch ist seiner Natur nach auf bestimmte, mitunter sehr, sehr kleine Dinge gestellt, Dinge, die, trotzdem sie klein sind, für ihn das Leben oder doch des Lebens Bestes bedeuten. Und dies Beste heißt mir Einfachheit, Wahrheit, Natürlichkeit. 25 Das alles hat Lene, damit hat sie mir's angetan, da liegt der Zauber, aus dem mich zu lösen, mir jetzt so schwer fällt."

In diesem Augenblicke stutzte sein Pferd, und er wurde eines aus einem Wiesenstreifen aufgescheuchten 30 Hasen gewahr, der dicht vor ihm auf die Jungfernheide zujagte. Neugierig sah er ihm nach und nahm seine Betrachtungen erst wieder auf, als der Flüchtige zwischen den Stämmen der Heide verschwunden war. „Und war es denn", fuhr er fort, „etwas so Törichtes und Un- 35 mögliches, was ich wollte? Nein. Es liegt nicht in mir, die Welt herauszufordern und ihr und ihren Vorurtei-

len öffentlich den Krieg zu erklären; ich bin durchaus gegen solche Donquichotterien. Alles, was ich wollte, war ein verschwiegenes Glück, ein Glück, für das ich früher oder später, um des ihr ersparten Affronts wil-
5 len, die stille Gutheißung der Gesellschaft erwartete. So war mein Traum, so gingen meine Hoffnungen und Gedanken. Und nun soll ich heraus aus diesem Glück und soll ein andres eintauschen, das mir keins ist. Ich hab eine Gleichgiltigkeit gegen den Salon und einen
10 Widerwillen gegen alles Unwahre, Geschraubte, Zurechtgemachte. Chic, Tournüre, Savoir-faire – mir alles ebenso häßliche wie fremde Wörter."

Hier bog das Pferd, das er schon seit einer Viertelstunde kaum noch im Zügel hatte, wie von selbst in
15 einen Seitenweg ein, der zunächst auf ein Stück Ackerland und gleich dahinter auf einen von Unterholz und ein paar Eichen eingefaßten Grasplatz führte. Hier, im Schatten eines der älteren Bäume, stand ein kurzes, gedrungenes Steinkreuz, und als er näher heranritt, um
20 zu sehen, was es mit diesem Kreuz eigentlich sei, las er: „Ludwig v. Hinckeldey, gest. 10. März 1856." Wie das ihn traf! Er wußte, daß das Kreuz hier herum stehe, war aber nie bis an diese Stelle gekommen und sah es nun als ein Zeichen an, daß das seinem eigenen Wil-
25 len überlassene Pferd ihn gerade hierher geführt hatte.

Hinckeldey! Das war nun an die zwanzig Jahr, daß der damals Allmächtige zu Tode kam, und alles, was bei der Nachricht davon in seinem Elternhause gesprochen worden war, das stand jetzt wieder lebhaft vor
30 seiner Seele. Vor allem eine Geschichte kam ihm wieder in Erinnerung. Einer der bürgerlichen, seinem Chef besonders vertrauten Räte übrigens, hatte gewarnt und abgemahnt und das Duell überhaupt, und nun gar ein solches und unter solchen Umständen, als einen Unsinn
35 und ein Verbrechen bezeichnet. Aber der sich bei dieser Gelegenheit plötzlich auf den Edelmann hin ausspielende Vorgesetzte, hatte brüsk und hochmütig ge-

antwortet: „Nörner, davon verstehen Sie nichts." Und eine Stunde später war er in den Tod gegangen. Und warum? Einer Adelsvorstellung, einer Standesmarotte zuliebe, die mächtiger war als alle Vernunft, auch mächtiger als das Gesetz, dessen Hüter und Schützer zu sein, er recht eigentlich die Pflicht hatte. „Lehrreich." Und was habe ich speziell daraus zu lernen? Was predigt dies Denkmal mir? Jedenfalls das eine, daß das Herkommen unser Tun bestimmt. Wer ihm gehorcht, kann zugrunde gehn, aber er geht besser zugrunde als der, der ihm widerspricht."

Während er noch so sann, warf er sein Pferd herum und ritt querfeldein auf ein großes Etablissement, ein Walzwerk oder eine Maschinenwerkstatt, zu, draus, aus zahlreichen Essen, Qualm und Feuersäulen in die Luft stiegen. Es war Mittag und ein Teil der Arbeiter saß draußen im Schatten, um die Mahlzeit einzunehmen. Die Frauen, die das Essen gebracht hatten, standen plaudernd daneben, einige mit einem Säugling auf dem Arm, und lachten sich untereinander an, wenn ein schelmisches oder anzügliches Wort gesprochen wurde. Rienäcker, der sich den Sinn für das Natürliche mit nur zu gutem Rechte zuschrieben, war entzückt von dem Bilde, das sich ihm bot, und mit einem Anfluge von Neid sah er auf die Gruppe glücklicher Menschen. „Arbeit und täglich Brot und Ordnung. Wenn unsre märkischen Leute sich verheiraten, so reden sie nicht von Leidenschaft und Liebe, sie sagen nur: ‚Ich muß doch meine Ordnung haben.' Und das ist ein schöner Zug im Leben unsres Volks und nicht einmal prosaisch. Denn Ordnung ist viel und mitunter alles. Und nun frag ich mich, war mein Leben in der ‚Ordnung'? Nein. Ordnung ist Ehe." So sprach er noch eine Weile vor sich hin und dann sah er wieder Lene vor sich stehn, aber in ihrem Auge lag nichts von Vorwurf und Anklage, sondern es war umgekehrt, als ob sie freundlich zustimme.

„Ja, meine liebe Lene, du bist auch für Arbeit und Ordnung und siehst es ein und machst es mir nicht schwer...aber schwer ist es doch...für dich und mich."

Er setzte sein Pferd wieder in Trab und hielt sich noch eine Strecke hart an der Spree hin. Dann aber bog er, an den in Mittagsstille daliegenden Zelten vorüber, in einen Reitweg ein, der ihn bis an den Wrangel-Brunnen und gleich danach bis vor seine Tür führte.

FÜNFZEHNTES KAPITEL

Botho wollte sofort zu Lene hinaus, und als er fühlte, daß er dazu keine Kraft habe, wollt' er wenigstens schreiben. Aber auch das ging nicht. „Ich kann es nicht, heute nicht." Und so ließ er den Tag vergehen und wartete bis zum andern Morgen. Da schrieb er denn in aller Kürze.

„Liebe Lene. Nun kommt es doch so, wie Du mir vorgestern gesagt: Abschied. Und Abschied auf immer. Ich hatte Briefe von Haus, die mich zwingen; es muß sein, und weil es sein muß, so sei es schnell... Ach, ich wollte, diese Tage lägen hinter uns. Ich sage Dir weiter nichts, auch nicht wie mir ums Herz ist... Es war eine kurze schöne Zeit und ich werde nichts davon vergessen. Gegen neun bin ich bei Dir, nicht früher, denn es darf nicht lange dauern. Auf Wiedersehen, nur noch einmal auf Wiedersehen. Dein B. v. R."

Und nun kam er. Lene stand am Gitter und empfing ihn wie sonst; nicht der kleinste Zug von Vorwurf oder auch nur von schmerzlicher Entsagung lag in ihrem Gesicht. Sie nahm seinen Arm und so gingen sie den Vorgartensteig hinauf.

„Es ist recht, daß du kommst... Ich freue mich, daß du da bist. Und du mußt dich auch freuen."

Unter diesen Worten hatten sie das Haus erreicht

und Botho machte Miene, wie gewöhnlich vom Flur her in das große Vorderzimmer einzutreten. Aber Lene zog ihn weiter fort und sagte: „Nein, Frau Dörr ist drin..."

„Und ist uns noch bös?"

„Das nicht. Ich habe sie beruhigt. Aber was sollen wir heut mit ihr? Komm, es ist ein so schöner Abend und wir wollen allein sein."

Er war einverstanden, und so gingen sie denn den Flur hinunter und über den Hof auf den Garten zu. Sultan regte sich nicht und blinzelte nur beiden nach, als sie den großen Mittelsteig hinauf und dann auf die zwischen den Himbeerbüschen stehende Bank zuschritten.

Als sie hier ankamen, setzten sie sich. Es war still, nur vom Felde her hörte man ein Gezirp und der Mond stand über ihnen.

Sie lehnte sich an ihn und sagte ruhig und herzlich: „Und das ist nun also das letzte Mal, daß ich deine Hand in meiner halte?"

„Ja, Lene. Kannst du mir verzeihn?"

„Wie du nur immer frägst. Was soll ich dir verzeihn?"

„Daß ich deinem Herzen wehe tue."

„Ja, weh tut es. Das ist wahr."

Und nun schwieg sie wieder und sah hinauf auf die blaß am Himmel heraufziehenden Sterne.

„Woran denkst du, Lene?"

„Wie schön es wäre, dort oben zu sein."

„Sprich nicht so. Du darfst dir das Leben nicht wegwünschen; von solchem Wunsch ist nur noch ein Schritt..."

Sie lächelte. „Nein, das nicht. Ich bin nicht wie das Mädchen, das an den Ziehbrunnen lief und sich hineinstürzte, weil ihr Liebhaber mit einer andern tanzte. Weißt du noch, wie du mir davon erzähltest?"

„Aber was soll es dann? Du bist doch nicht so, daß du so was sagst, bloß um etwas zu sagen."

„Nein, ich hab es auch ernsthaft gemeint. Und wirklich (und sie wies hinauf), ich wäre gerne da. Da hätt'
ich Ruh'. Aber ich kann es abwarten... Und nun komm
und laß uns ins Feld gehen. Ich habe kein Tuch mit
5 herausgenommen und find es kalt hier im Stillsitzen."

Und so gingen sie denn denselben Feldweg hinauf,
der sie damals bis an die vorderste Häuserreihe von
Wilmersdorf geführt hatte. Der Turm war deutlich
sichtbar unter dem sternenklaren Himmel und nur über
10 den Wiesengrund zog ein dünner Nebelschleier.

„Weißt du noch", sagte Botho, „wie wir mit Frau
Dörr hier gingen?"

Sie nickte. „Deshalb hab ich dir's vorgeschlagen, mich
fror gar nicht oder doch kaum. Ach, es war ein so schö-
15 ner Tag damals und so heiter und glücklich bin ich nie
gewesen, nicht vorher und nicht nachher. Noch in diesem Augenblicke lacht mir das Herz, wenn ich daran
zurückdenke wie wir gingen und sangen: ,Denkst du
daran.' Ja, Erinnerung ist viel, ist alles. Und die hab
20 ich nun und bleibt mir und kann mir nicht mehr genommen werden. Und ich fühle ordentlich, wie mir dabei leicht zumute wird."

Er umarmte sie. „Du bist so gut."

Lene aber fuhr in ihrem ruhigen Tone fort: „Und
25 daß mir so leicht ums Herz ist, das will ich nicht vorübergehen lassen und will dir alles sagen. Eigentlich
ist es das Alte, was ich dir immer schon gesagt habe,
noch vorgestern, als wir draußen auf der halb geschei-
terten Partie waren und dann nachher, als wir uns
30 trennten. Ich hab es so kommen sehn, von Anfang an,
und es geschieht nur, was muß. Wenn man schön geträumt hat, so muß man Gott dafür danken und darf
nicht klagen, daß der Traum aufhört und die Wirklich-
keit wieder anfängt. Jetzt ist es schwer, aber es vergißt
35 sich alles oder gewinnt wieder ein freundliches Gesicht.
Und eines Tages bist du wieder glücklich und vielleicht
ich auch."

„Glaubst du's? Und wenn nicht? was dann?"

„Dann lebt man ohne Glück."

„Ach, Lene, du sagst das so hin, als ob Glück nichts wäre. Aber es ist was und das quält mich eben und ist mir doch, als ob ich dir ein Unrecht getan hätte."

„Davon sprech ich dich frei. Du hast mir kein Unrecht getan, hast mich nicht auf Irrwege geführt und hast mir nichts versprochen. Alles war mein freier Entschluß. Ich habe dich von Herzen liebgehabt, das war mein Schicksal, und wenn es eine Schuld war, so war es meine Schuld. Und noch dazu eine Schuld, deren ich mich, ich muß es dir immer wieder sagen, von ganzer Seele freue, denn sie war mein Glück. Wenn ich nun dafür zahlen muß, so zahle ich gern. Du hast nicht gekränkt, nicht verletzt, nicht beleidigt, oder doch höchstens das, was die Menschen Anstand nennen und gute Sitte. Soll ich mich darum grämen? Nein. Es rückt sich alles wieder zurecht, auch das. Und nun komm und laß uns umkehren. Sieh nur wie die Nebel steigen; ich denke, Frau Dörr ist nun fort und wir treffen die gute Alte allein. Sie weiß von allem und hat den ganzen Tag über immer nur ein und dasselbe gesagt."

„Und was?"

„Daß es so gut sei."

Frau Nimptsch war wirklich allein, als Botho und Lene bei ihr eintraten. Alles war still und dämmerig und nur das Herdfeuer warf einen Lichtschein über die breiten Schatten, die sich schräg durch das Zimmer zogen. Der Stieglitz schlief schon lange in seinem Bauer und man hörte nichts als dann und wann das Zischen des überkochenden Wassers.

„Guten Abend, Mutterchen", sagte Botho.

Die Alte gab den Gruß zurück und wollte von ihrer Fußbank aufstehen, um den großen Lehnstuhl heranzurücken. Aber Botho litt es nicht und sagte: „Nein, Mutterchen, ich setze mich auf meinen alten Platz."

Und dabei schob er den Schemel ans Feuer.

Eine kleine Pause trat ein; alsbald aber begann er wieder: „Ich komme heut, um Abschied zu nehmen und Ihnen für alles Liebe und Gute zu danken, das ich hier
5 so lange gehabt habe. Ja, Mutterchen, so recht von Herzen. Ich bin hier so gern gewesen und so glücklich. Aber nun muß ich fort und alles, was ich noch sagen kann, ist bloß das: es ist doch wohl das Beste so."

Die Alte schwieg und nickte zustimmend. „Aber ich
10 bin nicht aus der Welt", fuhr Botho fort, „und ich werde Sie nicht vergessen, Mutterchen. Und nun geben Sie mir die Hand. So. Und nun gute Nacht."

Hiernach stand er schnell auf und schritt auf die Tür zu, während Lene sich an ihn hing. So gingen sie bis an
15 das Gartengitter, ohne daß weiter ein Wort gesprochen wäre. Dann aber sagte sie: „Nun kurz, Botho. Meine Kräfte reichen nicht mehr; es war doch zuviel, diese zwei Tage. Lebe wohl, mein Einziger, und sei so glücklich, wie du's verdienst, und so glücklich, wie du mich
20 gemacht hast. Dann bist du glücklich. Und von dem andern rede nicht mehr, es ist der Rede nicht wert. So, so."

Und sie gab ihm einen Kuß und noch einen und schloß dann das Gitter.

25 Als er an der andern Seite der Straße stand, schien er, als er Lenens ansichtig wurde, noch einmal umkehren und Wort und Kuß mit ihr tauschen zu wollen. Aber sie wehrte heftig mit der Hand. Und so ging er denn weiter die Straße hinab, während sie, den Kopf
30 auf den Arm und den Arm auf den Gitterpfosten gestützt, ihm mit großem Auge nachsah.

So stand sie noch lange, bis sein Schritt in der nächtlichen Stille verhallt war.

SECHZEHNTES KAPITEL

Mitte September hatte die Verheiratung auf dem Sellenthinschen Gute Rothenmoor stattgefunden, Onkel Osten, sonst kein Redner, hatte das Brautpaar in dem zweifellos längsten Toaste seines Lebens leben lassen, und am Tage darauf hatte die Kreuzzeitung unter ihren sonstigen Familienanzeigen auch die folgende gebracht: „Ihre am gestrigen Tage stattgehabte eheliche Verbindung zeigen hierdurch ergebenst an Botho Freiherr von Rienäcker, Premierleutnant im Kaiser-Kürassier-Regiment, Käthe Freifrau von Rienäcker, geb. von Sellenthin." Die Kreuzzeitung war begreiflicherweise nicht das Blatt, das in die Dörrsche Gärtnerwohnung samt ihren Dependenzien kam, aber schon am andern Morgen traf ein an Fräulein Magdalene Nimptsch adressierter Brief ein, in dem nichts lag als der Zeitungsausschnitt mit der Vermählungsanzeige. Lene fuhr zusammen, sammelte sich aber rascher, als der Absender, aller Wahrscheinlichkeit nach eine neidische Kollegin, erwartet haben mochte. Daß es von solcher Seite her kam, war schon aus dem beigefügten „Hochwohlgeboren" zu schließen. Aber gerade dieser Extraschabernack, der den schmerzhaften Stich verdoppeln sollte, kam Lenen zustatten und verminderte das bittere Gefühl, das ihr diese Nachricht sonst wohl verursacht hätte.

Botho und Käthe von Rienäcker waren noch am Hochzeitstage selbst nach Dresden hin aufgebrochen, nachdem beide der Verlockung einer neumärkischen Vetternreise glücklich widerstanden hatten. Und wahrlich, sie hatten nicht Ursache, ihre Wahl zu bereuen, am wenigsten Botho, der sich jeden Tag nicht nur zu dem Dresdener Aufenthalte, sondern vielmehr noch zu dem Besitze seiner jungen Frau beglückwünschte, die Kapricen und üble Laune gar nicht zu kennen schien. Wirklich, sie lachte den ganzen Tag über und so leuchtend und hellblond sie war, so war auch ihr Wesen. An allem ergötzte sie sich und allem gewann sie die heitre Seite ab. In dem von ihnen bewohnten Hotel war ein Kellner mit einem Toupet, das einem eben umkippenden Wellenkamme glich, und dieser Kellner samt seiner Frisur war ihre tagtägliche Freude, so sehr, daß sie, wiewohl sonst ohne besonderen Esprit, sich in Bildern und Vergleichen gar nicht genug tun konnte. Botho freute sich mit und lachte herzlich, bis sich mit einem Male doch etwas von Bedenken und selbst von Unbehagen in sein Lachen einzumischen begann. Er nahm nämlich wahr, daß sie, was auch geschehen oder ihr zu Gesicht kommen mochte, lediglich am Kleinen und Komischen hing, und als beide nach etwa vierzehntägigem glücklichen Aufenthalt ihre Heimreise nach Berlin antraten, ereignete sich's, daß ein kurzes, gleich zu Beginn der Fahrt geführtes Gespräch ihm über diese Charakterseite seiner Frau volle Gewißheit gab. Sie hatten ein Kupee für sich, und als sie, von der Elbbrücke her, noch einmal zurückblickten, um nach Altstadt-Dresden und der Kuppel der Frauenkirche hinüberzugrüßen, sagte Botho, während er ihre Hand nahm: „Und nun sage mir, Käthe, was war eigentlich das Hübscheste hier in Dresden?"

„Rate."

„Ja, das ist schwer, denn du hast so deinen eignen Geschmack, und mit Kirchengesang und Holbeinscher Madonna darf ich dir gar nicht kommen..."

„Nein. Da hast du recht. Und ich will meinen gestrengen Herrn auch nicht lange warten und sich quälen lassen. Es war dreierlei, was mich entzückte: voran die Konditorei am Altmarkt und der Scheffelgassen-Ecke mit den wundervollen Pastetchen und dem Likör. Da so zu sitzen..."

„Aber, Käthe, man konnte ja gar nicht sitzen, man konnte kaum stehn, und war eigentlich, als ob man sich jeden Bissen erobern müsse."

„Das war es eben. Eben deshalb, mein Bester. Alles, was man sich erobern muß…"

Und sie wandte sich ab und spielte neckisch die Schmollende, bis er ihr einen herzlichen Kuß gab.

„Ich sehe", lachte sie, „du bist schließlich einverstanden und zur Belohnung höre nun auch das zweite und dritte. Mein zweites war das Sommertheater draußen, wo wir ‚Monsieur Herkules' sahn und Knaak den Tannhäusermarsch auf einem klapprigen alten Whisttisch trommelte. So was Komisches hab ich all mein Lebtag nicht gesehn und du wahrscheinlich auch nicht. Es war wirklich zu komisch… Und das dritte… Nun das dritte, das war ‚Bacchus auf dem Ziegenbock' im Grünen Gewölbe und der sich ‚kratzende Hund' von Peter Vischer."

„Ich dachte mir so was und wenn Onkel Osten davon hört, dann wird er dir recht geben und dich noch lieber haben als sonst und mir noch öfter wiederholen: Ich sage dir, Botho, die Käthe…"

„Soll er's nicht?"

„O gewiß soll er."

Und damit brach auf Minuten hin ihr Gespräch ab, das in Bothos Seele, so zärtlich und liebevoll er zu der jungen Frau hinübersah, doch einigermaßen ängstlich nachklang. Die junge Frau selbst indes hatte keine Ahnung von dem, was in ihres Gatten Seele vorging, und sagte nur: „Ich bin müde, Botho. Die vielen Bilder. Es kommt doch nach… Aber (der Zug hielt eben) was ist denn das für ein Lärm und Getreibe da draußen?"

„Das ist ein Dresdener Vergnügungsort, ich glaube Kötzschenbroda."

„Kötzschenbroda? Zu komisch."

Und während der Zug weiter dampfte, streckte sie sich aus und schloß anscheinend die Augen. Aber sie schlief nicht und sah zwischen den Wimpern hin nach dem geliebten Manne hinüber.

In der damals noch einreihigen Landgrafenstraße hatte Käthes Mama mittlerweile die Wohnung eingerichtet und als zu Beginn des Oktobers das junge Paar in Berlin wieder eintraf, war es entzückt von dem Komfort, den es vorfand. In den beiden Frontzimmern, die jedes einen Kamin hatten, war geheizt, aber Tür und Fenster standen auf, denn es war eine milde Herbstluft, und das Feuer brannte nur des Anblicks und des Luftzuges halber. Das Schönste aber war der große Balkon mit seinem weit herunterfallenden Zeltdach, unter dem hinweg man in gerader Richtung ins Freie sah, erst über das Birkenwäldchen und den Zoologischen Garten fort und dahinter bis an die Nordspitze des Grunewalds.

Käthe freute sich, unter Händeklatschen, dieser prächtig freien Aussicht, umarmte die Mama, küßte Botho und wies dann plötzlich nach links hin, wo zwischen vereinzelten Pappeln und Weiden ein Schindelturm sichtbar wurde. „Sieh, Botho, wie komisch. Er ist ja wie dreimal eingeknickt. Und das Dorf daneben. Wie heißt es?"

„Ich glaube Wilmersdorf", stotterte Botho.

„Nun gut, Wilmersdorf. Aber was heißt das ‚ich glaube'. Du wirst doch wissen, wie die Dörfer hier herum heißen. Sieh nur, Mama, macht er nicht ein Gesicht, als ob er uns ein Staatsgeheimnis verraten hätte? Nichts komischer als diese Männer."

Und damit verließ man den Balkon wieder, um in dem dahinter gelegenen Zimmer das erste Mittagsmahl en famille einzunehmen: nur die Mama, das junge Paar und Serge, der als einziger Gast geladen war.

Rienäckers Wohnung lag keine tausend Schritt von dem Hause der Frau Nimptsch. Aber Lene wußte nichts davon und nahm ihren Weg oft durch die Landgrafenstraße, was sie vermieden haben würde, wenn sie von dieser Nachbarschaft auch nur eine Ahnung gehabt hätte.

Doch es konnt' ihr nicht lange ein Geheimnis bleiben.

Es ging schon in die dritte Oktoberwoche, trotzdem war es noch wie im Sommer und die Sonne schien so warm, daß man den schärferen Luftton kaum empfand.

„Ich muß heut in die Stadt, Mutter", sagte Lene. „Goldstein hat mir geschrieben. Er will mit mir über ein Muster sprechen, das in die Wäsche der Waldeck-schen Prinzessin eingestickt werden soll. Und wenn ich erst in der Stadt bin, will ich auch die Frau Demuth in der Alten Jakobstraße besuchen. Man kommt sonst ganz von aller Menschheit los. Aber um Mittag bin ich wieder hier. Ich werd' es Frau Dörr sagen, daß sie nach dir sieht."

„Laß nur, Lene, laß nur. Ich bin am liebsten allein. Und die Dörr, sie red't so viel un immer von ihrem Mann. Und ich habe ja mein Feuer. Und wenn der Stieglitz piept, das is mir genug. Aber wenn du mir eine Tüte mitbringst, ich habe jetzt immer solch Kratzen und Malzbonbon löst so . . ."

„Schön, Mutter."

Und damit hatte Lene die kleine stille Wohnung verlassen und war erst die Kurfürsten- und dann die lange Potsdamer Straße hinunter gegangen, auf den Spittel-markt zu, wo die Gebrüder Goldstein ihr Geschäft hatten. Alles verlief nach Wunsch, und es war nahezu Mittag, als sie, heimkehrend, diesmal anstatt der Kurfürsten- lieber die Lützowstraße passierte. Die Sonne tat ihr wohl, und das Treiben auf dem Magdeburger Platze, wo gerade Wochenmarkt war und alles eben wieder zum Aufbruch rüstete, vergnügte sie so, daß sie stehenblieb und sich das bunte Durcheinander mit ansah. Sie war wie benommen davon und wurd' erst aufgerüttelt, als die Feuerwehr mit ungeheurem Lärm an ihr vorbeirasselte.

Lene horchte, bis das Gebimmel und Geklingel in der Ferne verhallt war, dann aber sah sie links hinunter nach der Turmuhr der Zwölf-Apostel-Kirche. „Gerade zwölf", sagte sie. „Nun ist es Zeit, daß ich mich

eile; sie wird immer unruhig, wenn ich später komme
als sie denkt." Und so ging sie weiter die Lützowstraße
hinunter auf den gleichnamigen Platz zu. Aber mit
einem Male hielt sie und wußte nicht wohin, denn auf
ganz kurze Entfernung erkannte sie Botho, der, mit
einer jungen, schönen Dame am Arm, grad auf sie zukam. Die junge Dame sprach lebhaft und anscheinend
lauter heitre Dinge, denn Botho lachte beständig, während er zu ihr niederblickte. Diesem Umstande ver-
dankte sie's auch, daß sie nicht schon lange bemerkt
worden war, und rasch entschlossen, eine Begegnung
mit ihm um jeden Preis zu vermeiden, wandte sie sich,
vom Trottoir her, nach rechts hin und trat an das zunächst befindliche große Schaufenster heran, vor dem,
mutmaßlich als Deckel für eine hier befindliche Keller-
öffnung, eine viereckige geriffelte Eisenplatte lag. Das
Schaufenster selbst war das eines gewöhnlichen Mater-
rialwarenladens, mit dem üblichen Aufbau von Stearinlichten und Mixed-Pickles-Flaschen, nichts Besonders,
aber Lene starrte darauf hin, als ob sie dergleichen noch
nie gesehen habe. Und wahrlich, Zeit war es, denn in
eben diesem Augenblicke streifte das junge Paar hart
an ihr vorüber und kein Wort entging ihr von dem
Gespräche, das zwischen beiden geführt wurde.

„Käthe, nicht so laut", sagte Botho, „die Leute sehen
uns schon an."

„Laß sie..."

„Sie denken am Ende, wir zanken uns..."

„Unter Lachen? Zanken unter Lachen?"

Und sie lachte wieder.

Lene fühlte das Zittern der dünnen Eisenplatte, darauf sie stand. Ein waagerecht liegender Messingstab
zog sich zum Schutze der großen Glasscheibe vor dem
Schaufenster hin, und einen Augenblick war es ihr, als
ob sie, wie zu Beistand und Hilfe, nach dem Messingstab greifen müsse, sie hielt sich aber aufrecht, und erst
als sie sicher sein durfte, daß beide weit genug fort wa-

ren, wandte sie sich wieder, um ihren Weg fortzusetzen. Sie tappte sich vorsichtig an den Häusern hin und eine kurze Strecke ging es. Aber bald war ihr doch, als ob ihr die Sinne schwänden, und kaum, daß sie die nächste nach dem Kanal hin abzweigende Querstraße erreicht hatte, so bog sie hier ein und trat in einen Vorgarten, dessen Gittertür offenstand. Nur mit Mühe noch schleppte sie sich bis an eine kleine zu Veranda und Hochparterre hinaufführende Freitreppe, wenige Stufen, und setzte sich, einer Ohnmacht nah, auf eine derselben.

Als sie wieder erwachte, sah sie, daß ein halbwachsenes Mädchen, ein Grabscheit in der Hand, mit dem sie kleine Beete gegraben hatte, neben ihr stand und sie teilnahmvoll anblickte, während, von der Verandabrüstung aus, eine alte Kindermuhme sie mit kaum geringerer Neugier musterte. Niemand war augenscheinlich zu Haus als das Kind und die Dienerin und Lene dankte beiden und erhob sich und schritt wieder auf die Pforte zu. Das halbwachsene Mädchen aber sah ihr traurig verwundert nach, und es war fast, wie wenn in dem Kinderherzen eine erste Vorstellung von dem Leid des Lebens gedämmert hätte.

Lene war inzwischen, den Fahrdamm passierend, bis an den Kanal gekommen und ging jetzt unten an der Böschung entlang, wo sie sicher sein durfte, niemandem zu begegnen. Von den Kähnen her blaffte dann und wann ein Spitz, und ein dünner Rauch, weil Mittag war, stieg aus den kleinen Kajütenschornsteinen auf. Aber sie sah und hörte nichts oder war wenigstens ohne Bewußtsein dessen, was um sie her vorging, und erst als jenseits des Zoologischen die Häuser am Kanal hin aufhörten und die große Schleuse mit ihrem drüberwegschäumenden Wasser sichtbar wurde, blieb sie stehn und rang nach Luft. „Ach, wer weinen könnte." Und sie drückte die Hand gegen Brust und Herz.

Zu Hause traf sie die Mutter an ihrem alten Platz und setzte sich ihr gegenüber, ohne daß ein Wort oder Blick zwischen ihnen gewechselt worden wäre. Mit einem Mal aber sah die Alte, deren Auge bis dahin immer in derselben Richtung gegangen war, von ihrem Herdfeuer auf und erschrak, als sie der Veränderung in Lenens Gesicht gewahr wurde.

„Lene, Kind, was hast du? Lene, wie siehst du nur aus?" Und so schwer beweglich sie sonsten war, heute machte sie sich im Umsehn von ihrer Fußbank los und suchte nach dem Krug, um die noch immer wie halbtot Dasitzende mit Wasser zu besprengen. Aber der Krug war leer, und so humpelte sie nach dem Flur und vom Flur nach Hof und Garten hinaus, um die gute Frau Dörr zu rufen, die gerade Goldlack und Jelängerjelieber abschnitt, um Marktsträuße daraus zu binden. Ihr Alter aber stand neben ihr und sagte: „Nimm nich wieder zuviel Strippe."

Frau Dörr, als sie das jämmerliche Rufen der alten Frau von fernher hörte, verfärbte sich und antwortete mit lauter Stimme: „Komme schon, Mutter Nimptsch, komme schon", und alles wegwerfend, was sie von Blumen und Bast in der Hand hatte, lief sie gleich auf das kleine Vorderhaus zu, weil sie sich sagte, daß da was los sein müsse.

„Richtig, dacht' ich's doch... Leneken." Und dabei rüttelte und schüttelte sie die nach wie vor leblos Dasitzende, während die Alte langsam nachkam und über den Flur hinschlurrte.

„Wir müssen sie zu Bett bringen", rief Frau Dörr und die Nimptsch wollte selber mit anfassen. Aber so war das „wir" der stattlichen Frau Dörr nicht gemeint gewesen. „Ich mache so was allein, Mutter Nimptsch", und Lenen in ihre Arme nehmend, trug sie sie nebenan in die Kammer und deckte sie hier zu.

„So, Mutter Nimptsch. Nu 'ne heiße Stürze. Das kenn ich, das kommt von's Blut. Erst 'ne Stürze un

115

denn'n Ziegelstein an die Fußsohlen; aber grad untern
Spann, da sitzt das Leben… Wovon is es denn eigentlich? Is gewiß 'ne Altration."

„Weiß nich. Sie hat nichts gesagt. Aber ich denke
mir, daß sie'n vielleicht gesehn hat."

„Richtig. Das is es. Das kenn ich… Aber nu die Fenster zu un 'runter mit's Rollo… Manche sind für Kampfer und Hoffmannstropfen, aber Kampfer schwächt so
und is eigentlich bloß für Motten. Nein, liebe Nimptschen, was 'ne Natur is un noch dazu solche junge, die
muß sich immer selber helfen un darum bin ich für
schwitzen. Aber orntlich. Un wovon kommt es? Von
die Männer kommt es. Un doch hat man sie nötig un
braucht sie… Na, sie kriegt ja schon wieder Farbe."

„Wolln wir nich lieber nach'n Doktor schicken?"

„I, Jott bewahre. Die kutschieren jetzt 'rum un eh'
einer kommt, is sie schon dreimal dod und lebendig."

SIEBZEHNTES KAPITEL

Drittehalb Jahre waren seit jener Begegnung vergan-
gen, während welcher Zeit sich manches in unserem Be-
kannten- und Freundeskreise verändert hatte, nur nicht
in dem in der Landgrafenstraße.

Hier herrschte dieselbe gute Laune weiter, der Frohmut der Flitterwochen war geblieben, und Käthe lachte
nach wie vor. Was andere junge Frauen vielleicht be-
trübt hätte: daß das Paar einfach ein Paar blieb, wurde von Käthe keinen Augenblick schmerzlich empfun-
den. Sie lebte so gern und fand an Putz und Plaudern,
an Reiten und Fahren ein so volles Genüge, daß sie vor
einer Veränderung ihrer Häuslichkeit eher erschrak, als
sie herbeiwünschte. Der Sinn für Familie, geschweige
die Sehnsucht danach, war ihr noch nicht aufgegangen,
und als die Mama brieflich eine Bemerkung über diese

Dinge machte, schrieb Käthe ziemlich ketzerisch zurück: „Sorge dich nicht, Mama. Bothos Bruder hat sich ja nun ebenfalls verlobt, in einem halben Jahr ist Hochzeit und ich überlaß es gern meiner zukünftigen Schwäge-
5 rin, sich die Fortdauer des Hauses Rienäcker angelegen sein zu lassen."

Botho sah es anders an, aber auch sein Glück wurde durch das, was fehlte, nicht sonderlich getrübt, und wenn ihn trotzdem von Zeit zu Zeit eine Mißstimmung
10 anwandelte, so war es, wie schon damals auf seiner Dresdener Hochzeitsreise, vorwiegend darüber, daß mit Käthe wohl ein leidlich vernünftiges, aber durchaus kein ernstes Wort zu reden war. Sie war unterhaltlich und konnte sich mitunter bis zu glücklichen Einfäl-
15 len steigern, aber auch das Beste, was sie sagte, war oberflächlich und „spielrig", als ob sie der Fähigkeit entbehrt hätte, zwischen wichtigen und unwichtigen Dingen zu unterscheiden. Und was das schlimmste war, sie betrachtete das alles als einen Vorzug, wußte sich
20 was damit und dachte nicht daran, es abzulegen. „Aber, Käthe, Käthe", rief Botho dann wohl und ließ in diesem Zuruf etwas von Mißbilligung mit durchklingen, ihr glückliches Naturell aber wußt' ihn immer wieder zu entwaffnen, ja, so sehr, daß er sich mit dem An-
25 spruch, den er erhob, fast pedantisch vorkam.

Lene mit ihrer Einfachheit, Wahrheit und Unredensartlichkeit stand ihm öfters vor der Seele, schwand aber ebenso rasch wieder hin, und nur wenn Zufälligkeiten einen ganz bestimmten Vorfall in aller Lebendigkeit
30 wieder in ihm wachriefen, kam ihm mit dieser größeren Lebendigkeit des Bildes auch wohl ein stärkeres Gefühl und mitunter selbst eine Verlegenheit.

Eine solche Zufälligkeit ereignete sich gleich im ersten Sommer, als das junge Paar, von einem Diner bei
35 Graf Alten zurückgekehrt, auf dem Balkon saß und seinen Tee nahm. Käthe lag zurückgelehnt in ihrem Stuhl und ließ sich aus der Zeitung einen mit Zahlen-

angaben reichgespickten Artikel über Pfarr- und Stolgebühren vorlesen. Eigentlich verstand sie wenig davon, um so weniger, als die vielen Zahlen sie störten,
aber sie hörte doch ziemlich aufmerksam zu, weil alle
märkischen Frölens ihre halbe Jugend „bei Predigers" 5
zubringen und so den Pfarrhausinteressen ihre Teilnahme bewahren. So war es auch heut. Endlich brach
der Abend herein und im selben Augenblicke wo's dunkelte, begann drüben im „Zoologischen" das Konzert,
und ein entzückender Straußscher Walzer klang her- 10
über.

„Höre nur, Botho", sagte Käthe, sich aufrichtend,
während sie voll Übermut hinzusetzte: „Komm, laß
uns tanzen." Und ohne seine Zustimmung abzuwarten,
zog sie ihn aus seinem Stuhl in die Höh' und walzte 15
mit ihm in das große Balkonzimmer hinein und in diesem noch ein paarmal herum. Dann gab sie ihm einen
Kuß und sagte, während sie sich an ihn schmiegte:
„Weißt du, Botho, so wundervoll hab ich noch nie ge-
tanzt, auch nicht auf meinem ersten Ball, den ich noch 20
bei der Zülow mitmachte, ja, daß ich's nur gestehe,
noch eh' ich eingesegnet war. Onkel Osten nahm mich
auf seine Verantwortung mit und die Mama weiß es
bis diesen Tag nicht. Aber selbst da war es nicht so
schön wie heut. Und doch ist die verbotene Frucht die 25
schönste. Nicht wahr? Aber du sagst ja nichts, du bist
ja verlegen, Botho. Sieh, so ertapp ich dich mal wieder."

Er wollte, so gut es ging, etwas sagen, aber sie ließ
ihn nicht dazu kommen. „Ich glaube wirklich, Botho,
meine Schwester Ine hat es dir angetan und du darfst 30
mich nicht damit trösten wollen, sie sei noch ein halber
Backfisch oder nicht weit darüber hinaus. Das sind immer die gefährlichsten. Ist es nicht so? Nun ich will
nichts gesehen haben und ich gönn es ihr und dir. Aber
auf alte, ganz alte Geschichten bin ich eifersüchtig, viel, 35
viel eifersüchtiger als auf neue."

„Sonderbar", sagte Botho und versuchte zu lachen.

„Und doch am Ende nicht so sonderbar wie's aussieht", fuhr Käthe fort. „Sieh, neue Geschichten hat
man doch immer halb unter Augen und es muß schon
schlimm kommen und ein wirklicher Meisterverräter
sein, wenn man gar nichts merken und so reinweg be-
trogen werden soll. Aber alte Geschichten, da hört alle
Kontrolle auf, da kann es tausend und drei geben und
man weiß es kaum."

„Und was man nicht weiß..."

„Kann einen d o c h heiß machen. Aber lassen wir's
und lies mir lieber weiter aus deiner Zeitung vor. Ich
habe beständig an unsere Kluckhuhns denken müssen
und die gute Frau versteht es nicht. Und der Älteste
soll jetzt gerade studieren."

Solche Geschichten ereigneten sich häufiger und be-
schworen in Bothos Seele mit den alten Zeiten auch
Lenens Bild herauf, aber sie selbst sah er nicht, was
ihm auffiel, weil er ja wußte, daß sie halbe Nachbarn
waren.

Es fiel ihm auf und wär' ihm doch leicht erklärlich
gewesen, wenn er rechtzeitig in Erfahrung gebracht
hätte, daß Frau Nimptsch und Lene gar nicht mehr an
alter Stelle zu finden seien. Und doch war es so. Von
dem Tag an, wo Lene dem jungen Paar in der Lützowstraße begegnet war, hatte sie der Alten erklärt, in der
Dörrschen Wohnung nicht mehr bleiben zu können,
und als Mutter Nimptsch, die sonst nie widersprach,
den Kopf geschüttelt und geweimert und in einem fort
auf den Herd hingewiesen hatte, hatte Lene gesagt:
„Mutter, du kennst mich doch. Ich werde dir doch deinen Herd und dein Feuer nicht nehmen; du sollst alles
wieder haben; ich habe das Geld dazu gespart und
wenn ich's nicht hätte, so wollt' ich arbeiten, bis es bei-
sammen wär'. Aber hier müssen wir fort. Ich muß jeden
Tag da vorbei, das halt ich nicht aus, Mutter. Ich gönn
ihm sein Glück, ja mehr noch, ich freue mich, daß er's

119

hat. Gott ist mein Zeuge, denn er war ein guter, lieber Mensch und hat mir zu Liebe gelebt und kein Hochmut und keine Haberei. Und daß ich's rundheraus sage, trotzdem ich die feinen Herren nicht leiden kann, ein richtiger Edelmann, so recht einer, der das Herz auf dem rechten Flecke hat. Ja, mein einziger Botho, du sollst glücklich sein, so glücklich wie du's verdienst. Aber ich kann es nicht sehn, Mutter, ich muß weg hier, denn sowie ich zehn Schritte gehe, denk ich, er steht vor mir. Und da bin ich in einem ewigen Zittern. Nein, nein, das geht nicht. Aber deine Herdstelle sollst du haben. Das versprech ich dir, ich, deine Lene."

Nach diesem Gespräche war seitens der Alten aller Widerstand aufgegeben worden, und auch Frau Dörr hatte gesagt: „Versteht sich, ihr müßt ausziehen. Und dem alten Geizkragen, dem Dörr, dem gönn ich's. Immer hat er mir was vorgebrummt, daß ihr zu billig einsäßt und daß nich die Steuer un die Repratur dabei 'rauskäme. Nu mag er sich freuen, wenn ihm alles leersteht. Und so wird's kommen. Denn wer zieht denn in solchen Puppenkasten, wo jeder Kater ins Fenster kuckt un kein Gas nich un keine Wasserleitung. I, versteht sich; ihr habt ja vierteljährliche Kündigung und Ostern könnt ihr 'raus, da helfen ihm keine Sperenzchen. Und ich freue mich ordentlich; ja, Lene, so schlecht bin ich. Aber ich muß auch gleich für meine Schadenfreude bezahlen. Denn wenn du weg bist, Kind, und die gute Frau Nimptsch mit ihrem Feuer und ihrem Teekessel und immer kochend Wasser, ja, Lene, was hab ich denn noch? Doch bloß i h n un Sultan und den dummen Jungen, der immer dummer wird. Un sonst keinen Menschen nich. Un wenn's denn kalt wird und Schnee fällt, is es mitunter zum Kattol'sch-Werden vor lauter Stillsitzen und Einsamkeit."

Das waren so die ersten Verhandlungen gewesen, als der Umzugsplan in Lene feststand, und als Ostern herankam, war wirklich ein Möbelwagen vorgefahren,

um aufzuladen, was an Habseligkeiten da war. Der
alte Dörr hatte sich bis zuletzt überraschend gut benommen, und nach erfolgtem feierlichen Abschiede war
Frau Nimptsch in eine Droschke gepackt und mit ihrem
Eichkätzchen und Stieglitz bis an das Luisenufer gefahren worden, wo Lene, drei Treppen hoch, eine kleine
Prachtwohnung gemietet und nicht nur ein paar neue
Möbeln angeschafft, sondern, in Erinnerung an ihr
Versprechen, vor allem auch für einen an den großen
Vorderzimmerofen angebauten Kamin gesorgt hatte.
Seitens des Wirts waren anfänglich allerlei Schwierigkeiten gemacht worden, „weil solch Vorbau den Ofen
ruiniere." Lene hatte jedoch unter Angabe der Gründe
darauf bestanden, was dem Wirt, einem alten braven
Tischlermeister, dem so was gefiel, einen großen Eindruck gemacht und ihn zum Nachgeben bestimmt hatte.

Beide wohnten nun ziemlich ebenso, wie sie vordem
im Dörrschen Gartenhause gewohnt hatten, nur mit
dem Unterschiede, daß sie jetzt drei Treppen hoch saßen und statt auf die phantastischen Türme des Elefantenhauses auf die hübsche Kuppel der Michaelskirche
sahen. Ja, der Blick, dessen sie sich erfreuten, war entzückend und so schön und frei, daß er selbst auf die
Lebensgewohnheiten der alten Nimptsch einen Einfluß
gewann und sie bestimmte, nicht mehr bloß auf der
Fußbank am Feuer, sondern, wenn die Sonne schien,
auch am offenen Fenster zu sitzen, wo Lene für einen
Tritt gesorgt hatte. Das alles tat der alten Frau Nimptsch
ungemein wohl und half ihr auch gesundheitlich auf, so
daß sie, seit dem Wohnungswechsel, weniger an Reißen
litt als draußen in dem Dörrschen Gartenhause, das, so
poetisch es lag, nicht viel besser als ein Keller gewesen
war.

Im übrigen verging keine Woche, wo nicht, trotz des
endlos weiten Weges, Frau Dörr vom „Zoologischen"
her am Luisenufer erschienen wäre, bloß „um zu sehen,
wie's stehe". Sie sprach dann, nach Art aller Berliner

Ehefrauen, ausschließlich von ihrem Manne, dabei regelmäßig einen Ton anschlagend, als ob die Verheiratung mit ihm eine der schwersten Mesalliancen und eigentlich etwas halb Unerklärliches gewesen wäre. In Wahrheit aber stand es so, daß sie sich nicht nur äußerst behaglich und zufrieden fühlte, sondern sich auch freute, daß Dörr gerade so war wie er war. Denn sie hatte nur Vorteile davon, einmal den, beständig reicher zu werden, und nebenher den zweiten, ihr ebenso wichtigen, ohne jede Gefahr vor Änderung und Vermögenseinbuße sich unausgesetzt über den alten Geizkragen erheben und ihm Vorhaltungen über seine niedrige Gesinnung machen zu können. Ja, Dörr war das Hauptthema bei diesen Gesprächen, und Lene, wenn sie nicht bei Goldsteins oder sonstwo in der Stadt war, lachte jedesmal herzlich mit und um so herzlicher, als sie sich, ebenso wie die Nimptsch, seit dem Umzuge sichtlich erholt hatte. Das Einrichten, Anschaffen und Instandsetzen hatte sie, wie sich denken läßt, von Anfang an von ihren Betrachtungen abgezogen, und was noch wichtiger und für ihre Gesundheit und Erholung erst recht von Vorteil gewesen war, war das, daß sie nun keine Furcht mehr vor einer Begegnung mit Botho zu haben brauchte. Wer kam nach dem Luisenufer? Botho gewiß nicht. All das vereinigte sich, sie vergleichsweise wieder frisch und munter erscheinen zu lassen, und nur eines war geblieben, das auch äußerlich an zurückliegende Kämpfe gemahnte: mitten durch ihr Scheitelhaar zog sich eine weiße Strähne. Mutter Nimptsch hatte kein Auge dafür oder machte nicht viel davon, die Dörr aber, die nach ihrer Art mit der Mode ging und vor allem ungemein stolz auf ihren echten Zopf war, sah die weiße Strähne gleich und sagte zu Lene: „Jott, Lene. Un grade links. Aber natürlich... da sitzt es ja... links muß es ja sein."

Es war bald nach dem Umzuge, daß dies Gespräch geführt wurde. Sonst geschah im allgemeinen weder

Bothos noch der alten Zeiten Erwähnung, was einfach darin seinen Grund hatte, daß Lene, wenn die Plauderei speziell d i e s e m Thema sich zuwandte, jedesmal rasch abbrach oder auch wohl aus dem Zimmer ging. Das hatte sich die Dörr, als es Mal auf Mal wiederkehrte, gemerkt, und so schwieg sie denn über Dinge, von denen man ganz ersichtlich weder reden noch hören wollte. So ging es ein Jahr lang, und als das Jahr um war, war noch ein anderer Grund da, der es nicht rätlich erscheinen ließ, auf die alten Geschichten zurückzukommen. Nebenan nämlich war, Wand an Wand mit der Nimptsch, ein Mieter eingezogen, der, von Anfang an auf gute Nachbarschaft haltend, bald noch mehr als ein guter Nachbar zu werden versprach. Er kam jeden Abend und plauderte, so daß es mitunter an die Zeiten erinnerte, wo Dörr auf seinem Schemel gesessen und seine Pfeife geraucht hatte, nur daß der neue Nachbar in vielen Stücken doch anders war: ein ordentlicher und gebildeter Mann, von nicht gerade feinen, aber sehr anständigen Manieren, dabei guter Unterhalter, der, wenn Lene mit zugegen war, von allerlei städtischen Angelegenheiten, von Schulen, Gasanstalten und Kanalisation und mitunter auch von seinen Reisen zu sprechen wußte. Traf es sich, daß er mit der Alten allein war, so verdroß ihn auch das nicht, und er spielte dann Tod und Leben mit ihr oder Dambrett oder half ihr auch wohl eine Patience legen, trotzdem er eigentlich alle Karten verabscheute. Denn er war ein Konventikler und hatte, nachdem er erst bei den Mennoniten und dann später bei den Irvingianern eine Rolle gespielt hatte, neuerdings eine selbständige Sekte gestiftet.

Wie sich denken läßt, erregte dies alles die höchste Neugier der Frau Dörr, die denn auch nicht müde wurde, Fragen zu stellen und Anspielungen zu machen, aber immer nur, wenn Lene wirtschaftlich zu tun oder in der Stadt allerlei Besorgungen hatte. „Sagen Sie, liebe

123

Frau Nimptsch, was is er denn eigentlich? Ich habe nachgeschlagen, aber er steht noch nich drin; Dörr hat bloß immer den vorjährigen. Franke heißt er?"

„Ja, Franke."

„Franke. Da war mal einer in der Ohmgasse, Groß- 5
böttchermeister, und hatte bloß ein Auge; das heißt, das andere war auch noch da, man bloß ganz weiß und sah eigentlich aus wie 'ne Fischblase. Un wovon war es? Ein Reifen, als er ihn umlegen wollte, war abgesprun- gen und mit der Spitze grad ins Auge. Davon war es. 10 Ob er von da herstammt?"

„Nein, Frau Dörr, er is gar nich von hier. Er is aus Bremen."

„Ach so. Na denn is es ja ganz natürlich."

Frau Nimptsch nickte zustimmend, ohne sich über 15
diese Natürlichkeitsversicherung weiter aufklären zu lassen, und fuhr ihrerseits fort: „Un von Bremen bis Amerika dauert bloß vierzehn Tage. Da ging er hin. Un er war so was wie Klempner oder Schlosser oder Maschinenarbeiter, aber als er sah, daß es nich ging, 20
wurd' er Doktor und zog 'rum mit lauter kleine Fla- schen und soll auch gepredigt haben. Und weil er so gut predigte, wurd' er angestellt bei... Ja, nun hab ich es wieder vergessen. Aber es sollen lauter sehr fromme Leute sein und auch sehr anständige." 25

„Herr du meine Güte", sagte Frau Dörr. „Er wird doch nich... Jott, wie heißen sie doch, die so viele Frauen haben, immer gleich sechs oder sieben und man- che noch mehre... Ich weiß nich was sie mit so viele machen." 30

Es war ein Thema, wie geschaffen für Frau Dörr. Aber die Nimptsch beruhigte die Freundin und sagte: „Nein, liebe Dörr, es is doch anders. Ich hab erst auch so was gedacht, aber da hat er gelacht und gesagt: ‚I bewahre, Frau Nimptsch. Ich bin Junggesell. Und wenn 35
ich mich verheirate, da denk ich mir, eine ist grade genug.'"

„Na, da fällt mir ein Stein vom Herzen", sagte die Dörr. „Und wie kam es denn nachher? Ich meine drüben in Amerika."

„Nu, nachher kam es ganz gut und dauerte gar nich lange, so war ihm geholfen. Denn was die Frommen sind, die helfen sich immer untereinander. Und hatte wieder Kundschaft gekriegt und auch sein altes Metier wieder. Und das hat er noch und is in einer großen Fabrik hier in der Köpnicker Straße, wo sie kleine Röhren machen und Brenner und Hähne und alles, was sie für den Gas brauchen. Und er ist da der Oberste, so wie Zimmer- oder Mauerpolier un hat wohl hundert unter sich. Un is ein sehr reputierlicher Mann mit Zylinder un schwarze Handschuh. Un hat auch ein gutes Gehalt."

„Un Lene?"

„Nu, Lene, die nähm' ihn schon. Und warum auch nich? Aber sie kann ja den Mund nich halten und wenn er kommt und ihr was sagt, dann wird sie ihm alles erzählen, all die alten Geschichten, erst die mit Kuhlwein (un is doch nu schon so lang, als wär's eigentlich gar nich gewesen) und denn die mit dem Baron. Und Franke, müssen Sie wissen, ist ein feiner un anständiger Mann, un eigentlich schon ein Herr."

„Wir müssen es ihr ausreden. Er braucht ja nich alles zu wissen; wozu denn? wir wissen ja auch nich alles."

„Woll, woll. Aber die Lene..."

ACHTZEHNTES KAPITEL

Nun war Juni 78. Frau von Rienäcker und Frau von Sellenthin waren den Mai über auf Besuch bei dem jungen Paar gewesen, und Mutter und Schwiegermutter, die sich mit jedem Tage mehr einredeten, ihre Käthe blasser, blutloser und matter als sonst vorgefunden zu haben, hatten, wie sich denken läßt, nicht aufgehört, auf einen Spezialarzt zu dringen, mit dessen Hilfe, nach beiläufig sehr kostspieligen gynäkologischen Untersuchungen, eine vierwöchentliche Schlangenbader Kur als vorläufig unerläßlich festgesetzt worden war. Schwalbach könne dann folgen. Käthe hatte gelacht und nichts davon wissen wollen, am wenigsten von Schlangenbad, „es sei so was Unheimliches in dem Namen und sie fühle schon die Viper an der Brust", aber schließlich hatte sie nachgegeben und in den nun beginnenden Reisevorbereitungen eine Befriedigung gefunden, die größer war als die, die sie sich von der Kur versprach. Sie fuhr täglich in die Stadt, um Einkäufe zu machen, und wurde nicht müde zu versichern, wie sie jetzt erst das so hoch in Gunst und Geltung stehende „shopping" der englischen Damen begreifen lerne: so von Laden zu Laden zu wandern und immer hübsche Sachen und höfliche Menschen zu finden, das sei doch wirklich ein Vergnügen und lehrreich dazu, weil man so vieles sehe, was man gar nicht kenne, ja, wovon man bis dahin nicht einmal den Namen gehört hätte. Botho nahm in der Regel an diesen Gängen und Ausfahrten teil, und ehe die letzte Juniwoche heran war, war die halbe Rienäckersche Wohnung in eine kleine Ausstellung von Reiseeffekten umgewandelt: ein Riesenkoffer mit Messingbeschlag, den Botho, nicht ganz mit Unrecht, den Sarg seines Vermögens nannte, leitete den Reigen ein, dann kamen zwei kleinere von Juchtenleder, samt Taschen, Decken und Kissen und über das Sofa hin ausgebreitet lag die Reisegarderobe mit einem Staubmantel obenan und einem Paar wundervoller dicksohliger Schnürstiefel, als ob es sich um irgendeine Gletscherpartie gehandelt hätte.

Den 24. Juni, Johannistag, sollte die Reise beginnen, aber am Tage vorher wollte Käthe den cercle intime noch einmal um sich versammeln, und so waren denn Wedell und ein junger Osten und selbstverständlich auch Pitt und Serge zu verhältnismäßig früher Stunde geladen worden. Dazu Käthes besonderer Liebling Balafré, der, bei Mars-la-Tour, damals noch als „Halberstädter", die große Attacke mitgeritten und wegen eines wahren Prachthiebes schräg über Stirn und Backe seinen Beinamen erhalten hatte.

Käthe saß zwischen Wedell und Balafré und sah nicht aus, als ob sie Schlangenbads oder irgendeiner Badekur der Welt besonders bedürftig sei, sie hatte Farbe, lachte, tat hundert Fragen und begnügte sich, wenn der Gefragte zu sprechen anhob, mit einem Minimum von Antwort. Eigentlich führte sie das Wort und keiner nahm Anstoß daran, weil sie die Kunst des gefälligen Nichtssagens mit einer wahren Meisterschaft übte. Balafré fragte, wie sie sich ihr Leben in den Kurtagen denke? Schlangenbad sei nicht bloß wegen seiner Heilwunder, sondern viel, viel mehr noch wegen seiner Langenweile berühmt, und vier Wochen Bade-Langeweile seien selbst unter den günstigsten Kurverhältnissen etwas viel.

„Oh, lieber Balafré", sagte Käthe, „Sie dürfen mich nicht angstigen und würden es auch nicht, wenn Sie wüßten, wieviel Botho für mich getan hat. Er hat mir nämlich acht Bände Novellen als freilich unterste Schicht in den Koffer gelegt und damit sich meine Phantasie nicht kurwidrig erhitze, hat er gleich noch ein Buch über künstliche Fischzucht mit zugetan."

Balafré lachte.

„Ja, Sie lachen, lieber Freund, und wissen doch erst die kleinere Hälfte, die Haupthälfte (Botho tut nämlich nichts ohne Grund und Ursache) ist seine Motivierung. Es war natürlich bloß Scherz, was ich da vorhin von meiner mit Hilfe der Fischzuchtsbroschüre nicht zu schädigenden Phantasie sagte, das Ernste von der Sache lief darauf hinaus, ich m ü s s e dergleichen, die Broschüre nämlich, endlich lesen und zwar aus Lokalpatriotismus, denn die Neumark, unsere gemeinsame glückliche Heimat, sei seit Jahr und Tag schon die Brut- und

Geburtsstätte der künstlichen Fischzucht und wenn ich von diesem nationalökonomisch so wichtigen neuen Ernährungsfaktor nichts wüßte, so dürft' ich mich jenseits der Oder im Landsberger Kreise gar nicht mehr sehen lassen, am allerwenigsten aber in Berneuchen, bei meinem Vetter Borne."

Botho wollte das Wort nehmen, aber sie schnitt es ihm ab und fuhr fort: „Ich weiß, was du sagen willst, und daß es wenigstens mit den acht Novellen nur so für alle Fälle sei. Gewiß, gewiß, du bist immer so schrecklich vorsichtig. Aber ich denke, ‚alle Fälle‘ sollen gar nicht kommen. Ich hatte nämlich gestern noch einen Brief von meiner Schwester Ine, die mir schrieb, Anna Grävenitz sei seit acht Tagen auch da. Sie kennen Sie ja, Wedell, eine geborene Rohr, charmante Blondine, mit der ich bei der alten Zülow in Pension und sogar in derselben Klasse war. Und ich entsinne mich noch, wie wir unsern vergötterten Felix Bachmann gemeinschaftlich anschwärmten und sogar Verse machten, bis die gute alte Zülow sagte, sie verbäte sich solchen Unsinn. Und Elly Winterfeld, wie mir Ine schreibt, käme wahrscheinlich auch. Und nun sag ich mir, in Gesellschaft von zwei reizenden jungen Frauen – und ich als dritte, wenn auch mit den beiden andern gar nicht zu vergleichen – in so guter Gesellschaft, sag ich, muß man doch am Ende leben können. Nicht wahr, lieber Balafré?"

Dieser verneigte sich unter einem grotesken Mienenspiel, das in allem, nur nicht hinsichtlich eines von ihr selbst versicherten Zurückstehens gegen irgendwen sonst in der Welt, seine Zustimmung ausdrücken sollte, nahm aber nichtsdestoweniger sein ursprüngliches Examen wieder auf und sagte: „Wenn ich Details hören könnte, meine Gnädigste! Das einzelne, sozusagen die Minute, bestimmt unser Glück und Unglück. Und der Tag hat der Minuten so viele."

„Nun, ich denk es mir so. Jeden Morgen Briefe. Dann Promenadenkonzert und Spaziergang mit den zwei

Damen, am liebsten in einer verschwiegenen Allee. Da
setzen wir uns dann und lesen uns die Briefe vor, die
wir doch hoffentlich erhalten werden, und lachen, wenn
er zärtlich schreibt und sagen ‚ja, ja'. Und dann kommt
5 das Bad und nach dem Bade die Toilette, natürlich mit
Sorglichkeit und Liebe, was doch in Schlangenbad nicht
ununterhaltlicher sein kann als in Berlin. Eher das Gegenteil. Und dann gehen wir zu Tisch und haben einen
alten General zur Rechten und einen reichen Indu-
10 striellen zur Linken und für Industrielle hab ich von
Jugend an eine Passion gehabt. Eine Passion, deren ich
mich nicht schäme. Denn entweder haben sie neue Pan-
zerplatten erfunden oder unterseeische Telegraphen
gelegt oder einen Tunnel gebohrt oder eine Kletter-
15 Eisenbahn angelegt. Und dabei, was ich auch nicht ver-
achte, sind sie reich. Und nach Tische Lesezimmer und
Kaffee bei heruntergelassenen Jalousien, so daß einem
die Schatten und Lichter immer auf der Zeitung um-
hertanzen. Und dann Spaziergang. Und vielleicht, wenn
20 wir Glück haben, haben sich sogar ein paar Frankfur-
ter oder Mainzer Kavaliere herüber verirrt und reiten
neben dem Wagen her und das muß ich Ihnen sagen,
meine Herren, gegen Husaren, gleichviel ob rot oder
blau, kommen Sie nicht auf und von meinem militäri-
25 schen Standpunkt aus ist und bleibt es ein entschiede-
ner Fehler, daß man die Garde-Dragoner verdoppelt,
aber die Garde-Husaren sozusagen einfach gelassen
hat. Und noch unbegreiflicher ist es mir, daß man sie
drüben läßt. So was Apartes gehört in die Hauptstadt."

30 Botho, den das enorme Sprechtalent seiner Frau zu
genieren anfing, suchte durch kleine Schraubereien ihrer
Schwatzhaftigkeit Einhalt zu tun. Aber seine Gäste
waren viel unkritischer als er, ja erheiterten sich mehr
denn je über die „reizende kleine Frau" und Balafré,
35 der in Käthebewunderung obenan stand, sagte: „Rienäcker, wenn Sie noch ein Wort gegen Ihre Frau sagen,
so sind Sie des Todes. Meine Gnädigste, was dieser

Oger von Ehemann nur überhaupt will? was er nur krittelt? Ich weiß es nicht. Und am Ende muß ich gar glauben, daß er sich in seiner Schwerenkavallerie-Ehre gekränkt fühlt und – Pardon wegen der Wortspielerei – lediglich um seines Harnisch willen in Harnisch gerät. Rienäcker, ich beschwöre Sie! Wenn ich solche Frau hätte wie Sie, so wäre mir jede Laune Befehl, und wenn mich die Gnädigste zum Husaren machen wollte, nun so würd' ich schlankweg Husar und damit basta. So viel aber weiß ich gewiß und möchte Leben und Ehre darauf verwetten, wenn Seine Majestät solche beredten Worte hören könnte, so hätten die Garde-Husaren drüben keine ruhige Stunde mehr, lägen morgen schon im Marschquartier in Zehlendorf und rückten übermorgen durchs Brandenburger Tor hier ein. O dies Haus Sellenthin, das ich, die Gelegenheit beim Schopf ergreifend, in diesem ersten Toaste zum ersten, zum zweiten und zum dritte Male leben lasse! Warum haben Sie keine Schwester mehr, meine Gnädigste? Warum hat sich Fräulein Ine bereits verlobt? Vor der Zeit und jedenfalls mir zum Tort."

Käthe war glücklich über derlei kleine Huldigungen und versicherte, daß sie, trotz Ine, die nun freilich rettungslos für ihn verloren sei, alles tun wolle, was sich tun lasse, wiewohl sie recht gut wisse, daß er, als ein unverbesserlicher Junggeselle, nur bloß so rede. Gleich danach aber ließ sie die Neckerei mit Balafré fallen und nahm das Reisegespräch wieder auf, am eingehendsten das Thema, wie sie sich die Korrespondenz eigentlich denke. Sie hoffe, wie sie nur wiederholen könne, jeden Tag einen Brief zu empfangen, das sei nun mal Pflicht eines zärtlichen Gatten, werd' es aber ihrerseits an sich kommen lassen und nur am ersten Tage von Station zu Station ein Lebenszeichen geben. Dieser Vorschlag fand Beifall; sogar bei Rienäcker, und wurde nur schließlich dahin abgeändert, daß sie zwar auf jeder Hauptstation bis Köln hin, über das sie trotz des Umwegs ihre Route nahm, eine Karte schreiben, alle ihre Karten aber, soviel oder sowenig ihrer sein möchten, in ein gemeinschaftliches Kuvert stecken solle. Das habe dann den Vorzug, daß sie sich ohne Furcht vor Postexpedienten und Briefträgern über ihre Reisegenossen in aller Ungeniertheit aussprechen könne.

Nach dem Diner nahm man draußen auf dem Balkon den Kaffee, bei welcher Gelegenheit sich Käthe, nachdem sie sich eine Weile gesträubt, in ihrem Reisekostüm: in Rembrandthut und Staubmantel samt umgehängter Reisetasche präsentierte. Sie sah reizend aus. Balafré war entzückter denn je und bat sie, nicht allzusehr überrascht sein zu wollen, wenn sie ihn am andern Morgen, ängstlich in eine Kupee-Ecke gedrückt, als Reisekavalier vorfinden sollte.

„Vorausgesetzt, daß er Urlaub kriegt", lachte Pitt.

„Oder desertiert", setzte Serge hinzu, „was den Huldigungsakt freilich erst vollkommen machen würde."

So ging die Plauderei noch eine Weile. Dann verabschiedete man sich bei den liebenswürdigen Wirten und kam überein, bis zur Lützowplatzbrücke zusammenzubleiben. Hier aber teilte man sich in zwei Parteien, und während Balafré samt Wedell und Osten am Kanal hin weiterschlenderten, gingen Pitt und Serge, die noch zu Kroll wollten, auf den Tiergarten zu.

„Reizendes Geschöpf, diese Käthe", sagte Serge. „Rienäcker wirkt etwas prosaisch daneben und mitunter sieht er so sauertöpfisch und neunmalweise drein, als ob er die kleine Frau, die bei Lichte besehn eigentlich klüger ist als er, vor aller Welt entschuldigen müsse."

Pitt schwieg.

„Und was sie nur in Schwalbach oder Schlangenbad soll?" fuhr Serge fort. „Es hilft doch nichts. Und wenn es hilft, ist es meist eine sehr sonderbare Hilfe."

Pitt sah ihn von der Seite her an. „Ich finde, Serge, du russifizierst dich immer mehr oder, was dasselbe sa-

131

gen will, wächst dich immer mehr in deinen Namen hinein."

„Immer noch nicht genug. Aber Scherz beiseite, Freund, eines ist Ernst in der Sache: Rienäcker ärgert mich. Was hat er gegen die reizende kleine Frau. Weißt 5 du's?"

„Ja."

„Nun?"

„She is rather a little silly. Oder wenn du's deutsch hören willst: sie dalbert ein bißchen. Jedenfalls i h m 10 zuviel."

NEUNZEHNTES KAPITEL

Käthe zog zwischen Berlin und Potsdam schon die gel-ben Vorhänge vor ihr Kupeefenster, um Schutz gegen die beständig stärker werdende Blendung zu haben, am 15 Luisenufer aber waren an demselben Tage keine Vor-hänge herabgelassen, und die Vormittagssonne schien hell in die Fenster der Frau Nimptsch und füllte die ganze Stube mit Licht. Nur der Hintergrund lag im Schatten, und hier stand ein altmodisches Bett mit hoch 20 aufgetürmten und rot und weiß karierten Kissen, an die Frau Nimptsch sich lehnte. Sie saß mehr als sie lag, denn sie hatte Wasser in der Brust und litt heftig an asthmatischen Beschwerden. Immer wieder wandte sie den Kopf nach dem einen offenstehenden Fenster, aber 25 doch noch häufiger nach dem Kaminofen, auf dessen Herdstelle heute kein Feuer brannte.

Lene saß neben ihr, ihre Hand haltend, und als sie sah, daß der Blick der Alten immer in derselben Rich-tung ging, sagte sie: „Soll ich ein Feuer machen, Mut- 30 ter? Ich dachte, weil du liegst und die Bettwärme hast und weil es so heiß ist ..."

Die Alte sagte nichts, aber es kam Lenen doch so vor,

als ob sie's wohl gern hätte. So ging sie denn hin und bückte sich und machte ein Feuer.

Als sie wieder ans Bett kam, lächelte die Alte zufrieden und sagte: „Ja, Lene, heiß ist es. Aber du weißt ja, ich muß es immer sehn. Und wenn ich es nicht sehe, dann denk ich, es ist alles aus und kein Leben und kein Funke mehr. Und man hat doch so seine Angst hier…"

Und dabei wies sie nach Brust und Herz.

„Ach, Mutter, du denkst immer gleich an Sterben. Und ist doch so oft schon vorübergegangen."

„Ja, Kind, oft is es vorübergegangen, aber mal kommt es und mit Siebzig da kann es jeden Tag kommen. Weißt du, mache das andere Fenster auch noch auf, dann is mehr Luft hier und das Feuer brennt besser. Sieh doch bloß, es will nicht mehr recht, es raucht so…"

„Das macht die Sonne, die grade drauf steht…"

„Und dann gib mir von den grünen Tropfen, die mir die Dörr gebracht hat. Ein bißchen hilft es doch immer."

Lene tat, wie geheißen, und der Kranken, als sie die Tropfen genommen hatte, schien wirklich etwas besser und leichter ums Herz zu werden. Sie stemmte die Hand aufs Bett und schob sich höher hinauf, und als ihr Lene noch ein Kissen ins Kreuz gestopft hatte, sagte sie: „War Franke schon hier?"

„Ja; gleich heute früh. Er fragt immer, eh' er in die Fabrik geht."

„Is ein sehr guter Mann."

„Ja, das ist er."

„Und mit das Konventikelsche…"

„…wird es so schlimm nicht sein. Und ich glaube beinah, daß er seine guten Grundsätze da her hat. Glaubst du nicht auch?"

Die Alte lächelte. „Nein, Lene, die kommen vom lieben Gott. Und der eine hat sie, un der andre hat sie nicht. Ich glaube nich recht ans Lernen un Erziehen… Und hat er noch nichts gesagt?"

„Ja, gestern abend."

„Un was hast du ihm geantwortet?"

„Ich hab ihm geantwortet, daß ich ihn nehmen wolle, weil ich ihn für einen ehrlichen und zuverlässigen Mann hielte, der nicht bloß für mich, sondern auch für dich sorgen würde..."

Die Alte nickte zustimmend.

„Und", fuhr Lene fort, „als ich das so gesagt hatte, nahm er meine Hand und rief in guter Laune: ‚Na, Lene, denn also abgemacht!' Ich aber schüttelte den Kopf und sagte, daß das so schnell nicht ginge, denn ich hätt' ihm noch was zu bekennen. Und als er fragte was, erzählt' ich ihm, ich hätte zweimal ein Verhältnis gehabt: erst... na, du weißt ja, Mutter... und den ersten hätt' ich ganz gern gehabt und den andern hätt' ich sehr geliebt und mein Herz hinge noch an ihm. Aber er sei jetzt glücklich verheiratet und ich hätt' ihn nie wiedergesehen, außer ein einzig Mal, und ich wollt' ihn auch nicht wiedersehn. Ihm aber, der es so gut mit uns meine, hätt' ich das alles sagen müssen, weil ich keinen und am wenigsten ihn hintergehen wolle..."

„Jott, Jott", weimerte die Alte dazwischen.

„...Und gleich danach ist er aufgestanden und in seine Wohnung 'rübergegangen. Aber er war nicht böse, was ich ganz deutlich sehen konnte. Nur litt er's nicht, als ich ihn, wie sonst, bis an die Flurtür bringen wollte."

Frau Nimptsch war ersichtlich in Angst und Unruhe, wobei sich freilich nicht recht erkennen ließ, ob es um des eben Gehörten willen oder aus Atemnot war. Es schien aber fast das letztre, denn mit einem Male sagte sie: „Lene, Kind, ich liege nicht hoch genug. Du mußt mir noch das Gesangbuch unterlegen."

Lene widersprach nicht, ging vielmehr und holte das Gesangbuch. Als sie's aber brachte, sagte die Alte: „Nein, nich d a s, das ist das neue. Das alte will ich, das dicke mit den zwei Klappen." Und erst als Lene

mit dem dicken Gesangbuche wieder da war, fuhr die
Alte fort: „Das hab ich meiner Mutter selig auch holen
müssen und war noch ein halbes Kind damals und
meine Mutter noch keine fuffzig und saß ihr auch hier
und konnte keine Luft kriegen und die großen Angst-
augen kuckten mich immer so an. Als ich ihr aber das
Porstsche, das sie bei der Einsegnung gehabt, unter-
schob, da wurde sie ganz still und ist ruhig eingeschlafen. Und das möcht' ich auch. Ach, Lene. Der Tod ist es
nich... Aber das Sterben... So, so. Ah, das hilft."
      Lene weinte still vor sich hin, und weil sie nun wohl
sah, daß der guten alten Frau letzte Stunde nahe sei,
schickte sie zu Frau Dörr und ließ sagen, „es stehe
schlecht und ob Frau Dörr nicht kommen wolle". Die
ließ denn auch zurücksagen, „ja, sie werde kommen...",
und um die sechste Stunde kam sie wirklich mit Lärm
und Trara, weil Leisesein, auch bei Kranken, nicht
ihre Sache war. Sie stappste nur so durch die Stube hin,
daß alles schütterte und klirrte, was auf und neben dem
Herde lag, und dabei verklagte sie Dörr, der immer
grad in der Stadt sei, wenn er mal zu Hause sein solle,
und immer zu Hause wär', wenn sie ihn zum Kuckuck
wünsche. Dabei hatte sie der Kranken die Hand gedrückt und Lene gefragt, „ob sie denn auch tüchtig von
den Tropfen eingegeben habe?"
      „Ja."
      „Wieviel denn?"
      „Fünf... fünf alle zwei Stunden."
      Das sei zu wenig, hatte die Dörr darauf versichert
und unter Auskramung ihrer gesamten medizinischen
Kenntnis hinzugesetzt: „sie habe die Tropfen vierzehn
Tage lang in der Sonne ziehn lassen und wenn man sie
richtig einnehme, so ginge das Wasser weg wie mit 'ner
Plumpe. Der alte Selke drüben im Zoologischen sei
schon wie 'ne Tonne gewesen und habe schon ein Vier-
teljahr lang keinen Bettzippel mehr gesehn, immer
aufrecht in'n Stuhl un alle Fenster weit aufgerissen, als

er aber vier Tage lang die Tropfen genommen, sei's gewesen, wie wenn man auf eine Schweinsblase drücke: hast du nich gesehen, alles 'raus un wieder lapp un schlapp."

Unter diesen Worten hatte die robuste Frau der alten Nimptsch eine doppelte Portion von ihrem Fingerhut eingezwungen.

Lene, die bei dieser energischen Hilfe von einer doppelten und nur zu berechtigten Angst befallen wurde, nahm ihr Tuch und schickte sich an, einen Arzt zu holen. Und die Dörr, die sonst immer gegen die Doktors war, hatte diesmal nichts dagegen.

„Geh", sagte sie, „sie kann's nicht lange mehr machen. Kuck bloß mal hier (und sie wies auf die Nasenflügel), da sitzt der Dod."

Lene ging; aber sie konnte den Michaelkirchplatz noch kaum erreicht haben, als die bis dahin in einem Halbschlummer gelegene Alte sich aufrichtete und nach ihr rief: „Lene..."

„Lene is nich da."

„Wer is denn da?"

„Ich, Mutter Nimptsch. Ich, Frau Dörr."

„Ach, Frau Dörr, das is recht. So, hierher; hier auf die Hutsche."

Frau Dörr, gar nicht gewöhnt, sich kommandieren zu lassen, schüttelte sich ein wenig, war aber doch zu gutmütig, um dem Kommando nicht nachzukommen. Und so setzte sie sich denn auf die Fußbank.

Und sieh da, im selben Augenblick begann auch die alte Frau schon: „Ich will einen gelben Sarg haben un blauen Beschlag. Aber nich zu viel..."

„Gut, Frau Nimptsch."

„Un ich will auf'n neuen Jakobikirchhof liegen, hintern Rollkrug un ganz weit weg nach Britz zu."

„Gut, Frau Nimptsch."

„Un gespart hab ich alles dazu, schon vordem, als ich noch sparen konnte. Un es liegt in der obersten

Schublade. Un da liegt auch das Hemd un das Kamisol un ein paar weiße Strümpfe mit N. Und dazwischen liegt es."

„Gut, Frau Nimptsch. Es soll alles geschehn, wie Sie gesagt haben. Und is sonst noch was?"

Aber die Alte schien von Frau Dörrs Frage nichts mehr gehört zu haben, und ohne Antwort zu geben, faltete sie bloß die Hände, sah mit einem frommen und freundlichen Ausdruck zur Decke hinauf und betete: „Lieber Gott im Himmel, nimm sie in deinen Schutz und vergilt ihr alles, was sie mir alten Frau getan hat."

„Ah, die Lene", sagte Frau Dörr vor sich hin und setzte dann hinzu: „Das wird der liebe Gott auch, Frau Nimptsch, den kenn ich und habe noch keine verkommen sehn, die so war wie die Lene und solch Herz und solche Hand hatte."

Die Alte nickte und ein freundlich Bild stand sichtlich vor ihrer Seele.

So vergingen Minuten, und als Lene zurückkam und vom Flur her an die Korridortür klopfte, saß Frau Dörr noch immer auf der Fußbank und hielt die Hand ihrer alten Freundin. Und jetzt erst, wo sie das Klopfen draußen hörte, ließ sie die Hand los und stand auf und öffnete.

Lene war noch außer Atem. „Er ist gleich hier... er wird gleich kommen."

Aber die Dörr sagte nur: „Jott, die Doktors" und wies auf die Tote.

ZWANZIGSTES KAPITEL

Käthes erster Reisebrief war in Köln auf die Post gegeben und traf, wie versprochen, am andern Morgen in Berlin ein. Die gleich mitgegebene Adresse rührte noch von Botho her, der jetzt, lächelnd und in guter Laune, den sich etwas fest anfühlenden Brief in Händen hielt.

Wirklich, es waren drei mit blassem Bleistift und auf beiden Seiten beschriebene Karten in das Kuvert gesteckt worden, alle schwer lesbar, so daß Rienäcker auf den Balkon hinaustrat, um das undeutliche Gekritzel besser entziffern zu können.

„Nun laß sehn, Käthe."

Und er las:

„Brandenburg a. H., 8 Uhr früh. Der Zug, mein lieber Botho, hält hier nur drei Minuten, aber sie sollen nicht ungenutzt vorübergehen, nötigenfalls schreib ich unterwegs im Fahren weiter, so gut oder so schlecht es geht. Ich reise mit einer jungen, sehr reizenden Bankierfrau, Madame Salinger, geb. Saling, aus Wien. Als ich mich über die Namensähnlichkeit wunderte, sagte sie: ‚Joa, schaun's i hoab halt mei Comp'rativ g'heirat't.' Sie spricht in einem fort dergleichen und geht trotz einer zehnjährigen Tochter (blond; die Mutter brünett) ebenfalls nach Schlangenbad. Und auch über Köln und auch, wie ich, eines dort abzustattenden Besuches halber. Das Kind ist gut geartet, aber nicht gut erzogen und hat mir bei dem beständigen Umherklettern im Kupee bereits meinen Sonnenschirm zerbrochen, was die Mutter sehr in Verlegenheit brachte. Auf dem Bahnhofe, wo wir eben halten, d. h. in diesem Augenblicke setzt sich der Zug schon wieder in Bewegung, wimmelt es von Militär, darunter auch Brandenburger Kürassiere mit einem quittgelben Namenszug auf der Achselklappe; wahrscheinlich Nikolaus. Es macht sich sehr gut. Auch Füsiliere waren da, Fünfunddreißiger, kleine Leute, die mir doch kleiner vorkamen als nötig, obschon Onkel Osten immer zu sagen pflegte: der beste Füsilier sei der, der nur mit bewaffnetem Auge gesehen werden könne. Doch ich schließe. Die Kleine (leider) rennt nach wie vor von einem Kupeefenster zum andern und erschwert mir das Schreiben. Und dabei nascht sie beständig Kuchen, kleine mit Kirschen und Pistazien belegte Tortenstücke. Schon zwischen Potsdam und Werder fing sie damit an. Die Mutter ist doch zu schwach. Ich würde strenger sein."

Botho legte die Karte beiseit und überflog, so gut es ging, die zweite. Sie lautete:

„H a n n o v e r, 12 Uhr 30 Minuten. In Magdeburg war Goltz am Bahnhofe und sagte mir, Du hättest ihm geschrieben, ich käme. Wie gut und lieb wieder von Dir. Du bist doch immer der Beste, der Aufmerksamste. Goltz hat jetzt die Vermessungen am Harz, d. h. am 1. Juli fängt er an. – Der Aufenthalt hier in Hannover währt eine Viertelstunde, was ich benutzt habe, mir den unmittelbar am Bahnhof gelegenen Platz anzusehen: lauter erst unter unserer Herrschaft entstandene Hotels und Bier-Etablissements, von denen eins ganz im gotischen Stile gebaut ist. Die Hannoveraner, wie mir ein Mitreisender erzählte, nennen es die ‚preußische Bierkirche‘, bloß aus welfischem Antagonismus. Wie schmerzlich dergleichen! Die Zeit wird aber auch h i e r vieles mildern. Das walte Gott. – Die Kleine knabbert in einem fort weiter, was mich zu beunruhigen anfängt. Wohin soll das führen? Die Mutter aber ist wirklich reizend und hat mir schon a l l e s erzählt. Sie war auch in Würzburg, bei Scanzoni, für den sie schwärmt. Ihr Vertrauen gegen mich ist beschämend und beinahe peinlich. Im übrigen ist sie, wie ich nur wiederholen kann, durchaus comme il faut. Um Dir bloß eines zu nennen, welch Reisenecessaire! Die Wiener sind uns in solchen Dingen doch sehr überlegen; man merkt die ältere Kultur."

„Wundervoll", lachte Botho. „Wenn Käthe kulturhistorische Betrachtungen anstellt, übertrifft sie sich selbst. Aber aller guten Dinge sind drei. Laß sehn."

Und dabei nahm er die dritte Karte.

„K ö l n, 8 Uhr abends. Kommandantur. Ich will meine Karten doch lieber noch h i e r zur Post geben und nicht bis Schlangenbad warten, wo Frau Salinger und ich morgen mittag einzutreffen gedenken. Mir geht es gut. Schroffensteins sehr liebenswürdig; besonders er. Übrigens, um nichts zu vergessen, Frau Salinger wurde durch Oppenheims Equipage vom Bahnhofe abgeholt. Unsere Fahrt, anfangs so reizvoll, gestaltete sich von Hamm aus einigermaßen beschwerlich und unschön. Die Kleine litt schwer und leider durch Schuld der Mutter. ,Was möchtest du noch', fragte sie, nachdem unser Zug eben den Bahnhof Hamm passiert hatte, worauf das Kind antwortete: ,Drops.' Und erst von dem Augenblick an wurd' es so schlimm ... Ach, lieber Botho, jung oder alt, unsere Wünsche bedürfen doch beständig einer strengen und gewissenhaften Kontrolle. Dieser Gedanke beschäftigt mich seitdem unausgesetzt und die Begegnung mit dieser liebenswürdigen Frau war vielleicht kein Zufall in meinem Leben. Wie oft habe ich Kluckhuhn in diesem Sinne sprechen hören. Und er hat recht. Morgen mehr. Deine Käthe."

Botho schob die drei Karten wieder ins Kuvert und sagte: „Ganz Käthe. Welch Talent für die Plauderei! Und ich könnte mich eigentlich freuen, daß sie so schreibt, wie sie schreibt. Aber es fehlt etwas. Es ist alles so angeflogen, so bloßes Gesellschaftsecho. Aber sie wird sich ändern, wenn sie Pflichten hat. Oder doch vielleicht. Jedenfalls will ich die Hoffnung darauf nicht aufgeben."

Am Tage danach kam ein kurzer Brief aus Schlangenbad, in dem viel, viel weniger stand als auf den drei Karten, und von diesem Tage an schrieb sie nur alle halbe Woche noch und plauderte von Anna Grävenitz und der wirklich auch noch erschienenen Elly Winterfeld, am meisten aber von Madame Salinger und der reizenden kleinen Sarah. Es waren immer dieselben Versicherungen und nur am Schlusse der dritten Woche hieß es einigermaßen abweichend: „Ich finde jetzt die Kleine reizender als die Mutter. Diese gefällt sich in einem Toilettenluxus, den ich kaum passend finden kann, um so weniger, als eigentlich keine Herren hier

140

sind. Auch seh ich jetzt, daß sie Farbe auflegt und namentlich die Augenbrauen malt und vielleicht auch die Lippen, denn sie sind kirschrot. Das Kind aber ist sehr natürlich. Immer wenn sie mich sieht, stürzt sie mit Vehemenz auf mich zu und küßt mir die Hand und entschuldigt sich zum hundertsten Male wegen der Drops, ‚aber die Mama sei schuld‘, worin ich dem Kinde nur zustimmen kann. Und doch muß andererseits ein geheimnisvoll naschiger Zug in Sarahs Natur liegen, ich möchte beinahe sagen, etwas wie Erbsünde (glaubst Du daran? ich glaube daran, mein lieber Botho), denn sie kann von den Süßigkeiten nicht lassen und kauft sich in einem fort Oblaten, nicht Berliner, die wie Schaumkringel schmecken, sondern Karlsbader mit eingestreutem Zucker. Aber nichts mehr schriftlich davon. Wenn ich Dich wiedersehe, was sehr bald sein kann – denn ich möchte gern mit Anna Grävenitz zusammen reisen, man ist doch so mehr unter sich – sprechen wir darüber und über vieles andere noch. Ach, wie freu ich mich, Dich wiedersehn und mit Dir auf dem Balkon sitzen zu können. Es ist doch am schönsten in Berlin, und wenn dann die Sonne so hinter Charlottenburg und dem Grunewald steht, und man so träumt und so müde wird, oh, wie herrlich ist das! Nicht wahr! Und weißt Du wohl, was Frau Salinger gestern zu mir sagte? ‚Ich sei noch blonder geworden‘, sagte sie. Nun, Du wirst ja sehn. Wie immer Deine Käthe.“

Rienäcker nickte mit dem Kopf und lächelte. „Reizende, kleine Frau. Von ihrer Kur schreibt sie nichts; ich wette, sie fährt spazieren und hat noch keine zehn Bäder genommen.“ Und nach diesem Selbstgespräche gab er dem eben eintretenden Burschen einige Weisungen und ging, durch Tiergarten und Brandenburger Tor, erst die Linden hinunter und dann auf die Kaserne zu, wo der Dienst ihn bis Mittag in Anspruch nahm.

Als er bald nach zwölf Uhr wieder zu Hause war und sich's, nach eingenommenem Imbiß, eben ein wenig bequem machen wollte, meldete der Bursche, „daß ein Herr ... ein Mann (er schwankte in der Titulatur) draußen sei, der den Herrn Baron zu sprechen wünsche."

„Wer?"

„Gideon Franke... Er sagte so."

„Franke? Sonderbar. Nie gehört. Laß ihn eintreten."

Der Bursche ging wieder, während Botho wiederholte: „Franke... Gideon Franke... Nie gehört. Kenn ich nicht."

Einen Augenblick später trat der Angemeldete ein und verbeugte sich von der Tür her etwas steif. Er trug einen bis oben hin zugeknöpften schwarzbraunen Rock, übermäßig blanke Stiefel und blankes schwarzes Haar, das an beiden Schläfen dicht anlag. Dazu schwarze Handschuh und hohe Vatermörder von untadliger Weiße.

Botho ging ihm mit der ihm eigenen chevaleresken Artigkeit entgegen und sagte: „Herr Franke?"

Dieser nickte.

„Womit kann ich dienen? Darf ich Sie bitten, Platz zu nehmen... Hier... Oder vielleicht hier. Polsterstühle sind immer unbequem."

Franke lächelte zustimmend und setzte sich auf einen Rohrstuhl, auf den Rienäcker hingewiesen hatte.

„Womit kann ich dienen?" wiederholte Rienäcker.

„Ich komme mit einer Frage, Herr Baron."

„Die mir zu beantworten eine Freude sein wird, vorausgesetzt, daß ich sie beantworten kann."

„Oh, niemand besser als Sie, Herr von Rienäcker... Ich komme nämlich wegen der Lene Nimptsch."

Botho fuhr zurück.

„...Und möchte", fuhr Franke fort, „gleich hinzusetzen dürfen, daß es nichts Genierliches ist, was mich herführt. Alles, was ich zu sagen oder, wenn Sie's ge-

142

statten, Herr Baron, zu fragen habe, wird Ihnen und Ihrem Hause keine Verlegenheiten schaffen. Ich weiß auch von der Abreise der gnädigen Frau, der Frau Baronin, und habe mit allem Vorbedacht auf Ihr Alleinsein gewartet, oder, wenn ich so sagen darf, auf Ihre Strohwitwertage."

Botho hörte mit feinem Ohre heraus, daß der, der da sprach, trotz seines spießbürgerlichen Aufzuges ein Mann von Freimut und untadeliger Gesinnung sei. Das half ihm rasch aus seiner Verwirrung heraus, und er hatte Haltung und Ruhe ziemlich wiedergewonnen, als er über den Tisch hin fragte: „Sie sind ein Anverwandter Lenens? Verzeihung, Herr Franke, daß ich meine alte Freundin bei diesem alten mir so lieben Namen nenne."

Franke verbeugte sich und erwiderte: „Nein, Herr Baron, kein Verwandter; ich habe nicht diese Legitimation. Aber meine Legitimation ist vielleicht keine schlechtere: ich kenne die Lene seit Jahr und Tag und habe die Absicht, sie zu heiraten. Sie hat auch zugesagt, aber mir bei der Gelegenheit auch von ihrem Vorleben erzählt und dabei mit so großer Liebe von Ihnen gesprochen, daß es mir auf der Stelle feststand, Sie selbst, Herr Baron, offen und unumwunden fragen zu wollen, was es mit der Lene eigentlich sei. Worin Lene selbst, als ich ihr von meiner Absicht erzählte, mich mit sichtlicher Freude bestärkte, freilich gleich hinzusetzend: ich solle es lieber nicht tun, denn Sie würden zu gut von ihr sprechen."

Botho sah vor sich hin und hatte Mühe, die Bewegung seines Herzens zu bezwingen. Endlich aber war er wieder Herr seiner selbst und sagte: „Sie sind ein ordentlicher Mann, Herr Franke, der das Glück der Lene will, so viel hör und seh ich, und das gibt Ihnen ein gutes Recht auf Antwort. Was ich Ihnen zu sagen habe, darüber ist mir kein Zweifel, und ich schwanke nur noch w i e. Das beste wird sein, ich erzähl Ihnen, wie's kam und weiterging und dann abschloß."

Franke verbeugte sich abermals, zum Zeichen, daß er auch seinerseits dies für das beste halte.

„Nun denn", hob Rienäcker an, „es geht jetzt ins dritte Jahr oder ist auch schon ein paar Monate darüber, daß ich bei Gelegenheit einer Kahnfahrt um die Treptower Liebesinsel herum in die Lage kam, zwei jungen Mädchen einen Dienst zu leisten und sie vor dem Kentern ihres Bootes zu bewahren. Eins der beiden Mädchen war die Lene und an der Art, wie sie dankte, sah ich gleich, daß sie anders war als andere. Von Redensarten keine Spur, auch später nicht, was ich gleich hier hervorheben möchte. Denn so heiter und mitunter beinahe ausgelassen sie sein kann, von Natur ist sie nachdenklich, ernst und einfach."

Botho schob mechanisch das noch auf dem Tische stehende Tablett beiseite, strich die Decke glatt und fuhr dann fort: „Ich bat sie, sie nach Hause begleiten zu dürfen, und sie nahm es ohne weiteres an, was mich damals einen Augenblick überraschte. Denn ich kannte sie noch nicht. Aber ich sah sehr bald, woran es lag; sie hatte sich von Jugend an daran gewöhnt, nach ihren eigenen Entschlüssen zu handeln, ohne viel Rücksicht auf die Menschen und jedenfalls ohne Furcht vor ihrem Urteil."

Franke nickte.

„So machten wir denn den weiten Weg und ich begleitete sie nach Haus und war entzückt von allem, was ich da sah, von der alten Frau, von dem Herd, an dem sie saß, von dem Garten, darin das Haus lag, und von der Abgeschiedenheit und Stille. Nach einer Viertelstunde ging ich wieder, und als ich mich draußen am Gartengitter von der Lene verabschiedete, frug ich, ,ob ich wiederkommen dürfe', welche Frage sie mit einem einfachen ,Ja' beantwortete. Nichts von falscher Scham, aber noch weniger von Unweiblichkeit. Umgekehrt, es lag etwas Rührendes in ihrem Wesen und ihrer Stimme."

Rienäcker, als das alles wieder vor seine Seele trat, stand in sichtlicher Erregung auf und öffnete beide Flügel der Balkontür, als ob es ihm in seinem Zimmer zu heiß werde. Dann, auf und ab schreitend, fuhr er in einem rascheren Tempo fort: „Ich habe kaum noch etwas hinzuzusetzen. Das war um Ostern und wir hatten einen Sommer lang allerglücklichste Tage. Soll ich davon erzählen? Nein. Und dann kam das Leben mit seinem Ernst und seinen Ansprüchen. Und das war es, was uns trennte."

Botho hatte mittlerweile seinen Platz wieder eingenommen und der all die Zeit über mit Glattstreichung seines Hutes beschäftigte Franke sagte ruhig vor sich hin: „Ja, so hat sie mir's auch erzählt."

„Was nicht anders sein kann, Herr Franke. Denn die Lene – und ich freue mich von ganzem Herzen, auch gerade das noch sagen zu können – die Lene lügt nicht und bisse sich eher die Zunge ab, als daß sie flunkerte. Sie hat einen doppelten Stolz und neben dem, von ihrer Hände Arbeit leben zu wollen, hat sie noch den andern, alles gradheraus zu sagen und keine Flausen zu machen und nichts zu vergrößern und nichts zu verkleinern. ‚Ich brauche es nicht und ich will es nicht‘, das hab ich sie viele Male sagen hören. Ja, sie hat ihren eigenen Willen, vielleicht etwas mehr als recht ist, und wer sie tadeln will, kann ihr vorwerfen, eigenwillig zu sein. Aber sie will nur, was sie glaubt verantworten zu können und wohl auch wirklich verantworten kann, und solch Wille, mein ich, ist doch mehr Charakter als Selbstgerechtigkeit. Sie nicken und ich sehe daraus, daß wir einerlei Meinung sind, was mich aufrichtig freut. Und nun noch ein Schlußwort, Herr Franke. Was zurückliegt, liegt zurück. Können Sie darüber nicht hin, so muß ich das respektieren. Aber können Sie's, so sag ich Ihnen, Sie kriegen da eine selten gute Frau. Denn sie hat das Herz auf dem rechten Fleck und ein starkes Gefühl für Pflicht und Recht und Ordnung."

„So hab ich Lenen auch immer gefunden und ich verspreche mir von ihr, ganz so wie der Herr Baron sagen, eine selten gute Frau. Ja, der Mensch soll die Gebote halten, a l l e soll er sie halten, aber es ist doch ein Unterschied, je nachdem die Gebote sind, und wer das e i n e nicht hält, der kann immer noch was taugen, wer aber das a n d e r e nicht hält und wenn's auch im Katechismus dicht daneben stünde, der taugt nichts und ist verworfen von Anfang an und steht außerhalb der Gnade."

Botho sah ihn verwundert an und wußte sichtlich nicht, was er aus dieser feierlichen Ansprache machen sollte. Gideon Franke aber, der nun auch seinerseits im Gange war, hatte kein Auge mehr für den Eindruck, den seine ganz auf eigenem Boden gewachsenen Anschauungen hervorbrachten, und fuhr deshalb in einem immer predigerhafter werdenden Tone fort: „Und wer in seines Fleisches Schwäche gegen das sechste verstößt, dem kann verziehen werden, wenn er in gutem Wandel und in der Reue steht, wer aber gegen das s i e b e n t e verstößt, der steckt nicht bloß in des Fleisches Schwäche, der steckt in der Seele Niedrigkeit und wer lügt und trügt oder verleumdet und falsch Zeugnis redet, der ist von Grund aus verdorben und aus der Finsternis geboren und ist keine Rettung mehr und gleicht einem Felde, darinnen die Nesseln so tief liegen, daß das Unkraut immer wieder aufschießt, so viel gutes Korn auch gesäet werden mag. Und darauf leb ich und sterb ich und hab es durch alle Tage hin erfahren. Ja, Herr Baron, auf die Proppertät kommt es an und auf die Honnettität kommt es an und auf die Reellität. Und auch im Ehestande. Denn ehrlich währt am längsten und Wort und Verlaß muß sein. Aber was gewesen ist, das ist gewesen, das gehört vor Gott. Und denk ich anders darüber, was ich auch respektiere, geradeso wie der Herr Baron, so muß ich davon bleiben und mit meiner Neigung und Liebe gar nicht erst anfangen. Ich war lange drüben in den States und wenn auch drüben, geradeso wie hier, nicht alles Gold ist was glänzt, das ist doch wahr, man lernt drüben anders sehen und nicht immer durchs selbe Glas. Und lernt auch, daß es viele Heilswege gibt und viele Glückswege. Ja, Herr Baron, es gibt viele Wege, die zu Gott führen, und es gibt viele Wege, die zu Glück führen, dessen bin ich in meinem Herzen gleicherweise gewiß. Und der eine Weg ist gut und der andere Weg ist gut. Aber jeder gute Weg muß ein offner Weg und ein gerader Weg sein und in der Sonne liegen und ohne Morast und ohne Sumpf und ohne Irrlicht. Auf die Wahrheit kommt es an und auf die Zuverlässigkeit kommt es an und auf die Ehrlichkeit."

Franke hatte sich bei diesen Worten erhoben und Botho, der ihm artig bis an die Tür hin folgte, gab ihm hier die Hand.

„Und nun, Herr Franke, bitt ich zum Abschied noch um das eine: grüßen Sie mir die Frau Dörr, wenn Sie sie sehn und der alte Verkehr mit ihr noch andauert, und vor allem grüßen Sie mir die gute alte Frau Nimptsch. Hat sie denn noch ihre Gicht und ihre ‚Wehdage‘, worüber sie sonst beständig klagte?"

„Damit ist es vorbei."

„Wie das?" fragte Botho.

„Wir haben sie vor drei Wochen schon begraben, Herr Baron. Gerade heut vor drei Wochen."

„Begraben?" wiederholte Botho. „Und wo?"

„Draußen hinterm Rollkrug, auf dem neuen Jakobikirchhof... Eine gute alte Frau. Und wie sie an der Lene hing. Ja, Herr Baron, die Mutter Nimptsch ist tot. Aber Frau Dörr, die lebt noch (und er lachte), die lebt noch lange. Und wenn sie kommt, ein weiter Weg ist es, dann werd' ich sie grüßen. Und ich sehe schon, wie sie sich freut. Sie kennen sie ja, Herr Baron. Ja, ja, die Frau Dörr..."

Und Gideon Franke zog noch einmal seinen Hut und die Tür fiel ins Schloß.

Rienäcker, als er wieder allein war, war von dieser Begegnung und vor allem von dem, was er zuletzt gehört, wie benommen. Wenn er sich, in der zwischenliegenden Zeit, des kleinen Gärtnerhauses und seiner Insassen erinnert hatte, so hatte sich ihm selbstverständlich alles so vor die Seele gestellt, wie's einst gewesen war, und nun war alles anders und er hatte sich in einer ganz neuen Welt zurechtzufinden: in dem Häuschen wohnten Fremde, wenn es überhaupt noch bewohnt war, auf dem Herde brannte kein Feuer mehr, wenigstens nicht tagaus, tagein, und Frau Nimptsch, die das Feuer gehütet hatte, war tot und lag draußen auf dem Jakobikirchhof. Alles das ging in ihm um und mit einem Male stand auch der Tag wieder vor ihm, an dem er der alten Frau, halb humoristisch, halb feierlich, versprochen hatte, ihr einen Immortellenkranz aufs Grab zu legen. In der Unruhe, darin er sich befand, war es ihm schon eine Freude, daß ihm das Versprechen wieder einfiel, und so beschloß er denn die damalige Zusage sofort wahrzumachen. „Rollkrug und Mittag und pralle Sonne – die reine Reise nach Mittelafrika. Aber die gute Alte soll ihren Kranz haben.“

Und gleich danach nahm er Degen und Mütze und machte sich auf den Weg.

An der Ecke war ein Droschkenstand, freilich nur ein kleiner, und so kam es, daß trotz der Inschrifttafel: „Halteplatz für drei Droschken“ immer nur der Platz und höchst selten eine Droschke da war. So war es auch heute wieder, was mit Rücksicht auf die Mittagsstunde (wo die Droschken überall, als ob sie die Erde verschlänge, zu verschwinden pflegen) an diesem ohnehin nur auf ein Pflichtteil gesetzten Halteplatz kaum überraschen konnte. Botho ging also weiter, bis ihm, in Nähe der Von-der-Heydt-Brücke, ein ziemlich klappriges Gefährt entgegenkam, hellgrün mit rotem Plüschsitz und einem Schimmel davor. Der Schimmel schlich nur so hin und Rienäcker konnte sich angesichts der „Tour", die dem armen Tiere bevorstand, eines wehmütigen Lächelns nicht erwehren. Aber so weit er auch das Auge schicken mochte, nichts Besseres war in Sicht, und so trat er denn an den Kutscher heran und sagte: „Nach dem Rollkrug. Jakobikirchhof."

„Zu Befehl, Herr Baron."

„... Aber unterwegs müssen wir halten. Ich will nämlich noch einen Kranz kaufen."

„Zu Befehl, Herr Baron."

Botho war einigermaßen verwundert über die mit so viel Promptheit wiederkehrende Titulatur und sagte deshalb: „Kennen Sie mich?"

„Zu Befehl, Herr Baron. Baron Rienäcker Landgrafenstraße. Dicht bei'n Halteplatz. Hab Ihnen schon öfter gefahren."

Bei diesem Gespräche war Botho eingestiegen, gewillt, sich's in der Plüschecke nach Möglichkeit bequem zu machen, er gab es aber bald wieder auf, denn die Ecke war heiß wie ein Ofen.

Rienäcker hatte den hübschen und herzerquickenden Zug aller märkischen Edelleute, mit Personen aus dem Volke gern zu plaudern, lieber als mit „Gebildeten", und begann denn auch ohne weiteres, während sie im Halbschatten der jungen Kanalbäume dahinfuhren: „Is das eine Hitze! Ihr Schimmel wird sich auch nicht gefreut haben, wenn er ‚Rollkrug' gehört hat."

„Na, Rollkrug geht noch; Rollkrug geht noch von wegen der Heide. Wenn er da durchkommt un die Fichten riecht, freut er sich immer. Er is nämlich von's Land... Oder vielleicht is es auch die Musike. Wenigstens spitzt er immer die Ohren."

„So, so", sagte Botho. „Bloß nach tanzen sieht er mir nicht aus... Aber wo werden wir denn den Kranz kaufen? Ich möchte nicht gern ohne Kranz auf den Kirchhof kommen."

149

„O damit is noch Zeit, Herr Baron. Wenn erst die Kirchhofsgegend kommt, von's Hallsche Tor an un die ganze Pionierstraße 'runter."

„Ja, ja, Sie haben recht; ich entsinne mich..."

„Un nachher, bis dicht an den Kirchhof 'ran, hat's ihrer auch noch."

Botho lächelte. „Sie sind wohl ein Schlesier?"

„Ja", sagte der Kutscher. „Die meisten sind. Aber ich bin schon lange hier und eigentlich ein halber Richtiger-Berliner."

„Und's geht Ihnen gut?"

„Na, von gut is nu woll keine Rede nich. Es kost't allens zuviel un soll immer von's Beste sein. Und der Haber is teuer. Aber das ginge noch, wenn man bloß sonst nichts passierte. Passieren tut aber immer was, heute bricht 'ne Achse un morgen fällt en Pferd. Ich habe noch einen Fuchs zu Hause, der bei den Fürstenwalder Ulanen gestanden hat; propres Pferd, man bloß keine Luft nich un wird es woll nich lange mehr machen. Un mit eins is er weg... Un denn die Fahrpolizei; nie zufrieden, hier nich und da nich. Immer muß man frisch anstreichen. Un der rote Plüsch is auch nich von umsonst."

Während sie noch so plauderten, waren sie, den Kanal entlang, bis an das Hallesche Tor gekommen; vom Kreuzberg her aber kam gerad ein Infanterie-Bataillon mit voller Musik, und Botho, der keine Begegnungen wünschte, trieb deshalb etwas zur Eile. So ging es denn rasch an der Belle-Alliance-Brücke vorbei, jenseits derselben aber ließ er halten, weil er gleich an einem der ersten Häuser gelesen hatte: „Kunst- und Handelsgärtnerei". Drei, vier Stufen führten in einen Laden hinauf, in dessen großem Schaufenster allerlei Kränze lagen.

Rienäcker stieg aus und die Stufen hinauf. Die Tür oben aber gab beim Eintreten einen scharfen Klingelton. „Darf ich Sie bitten, mir einen hübschen Kranz zeigen zu wollen?"

„Begräbnis?"

„Ja."

Das schwarzgekleidete Fräulein, das, vielleicht mit
Rücksicht auf den Umstand, daß hier meist Grabkränze
5 verkauft wurden, in seiner Gesamthaltung (selbst die
Schere fehlte nicht) etwas ridikül Parzenhaftes hatte,
kam alsbald mit einem Immergrünkranze zurück, in
den weiße Rosen eingeflochten waren. Zugleich entschuldigte sie sich, daß es nur weiße Rosen seien. Weiße
10 Kamelien stünden höher. Botho seinerseits war zufrieden, enthielt sich aller Ausstellungen und fragte
nur, ob er zu dem frischen Kranz auch einen Immortellenkranz haben könne?

Das Fräulein schien über das Altmodische, das sich
15 in dieser Frage kundgab, einigermaßen verwundert, bejahte jedoch und erschien gleich danach mit einem Kar-
ton, in dem fünf, sechs Immortellenkränze lagen, gelbe,
rote, weiße.

„Zu welcher Farbe raten Sie mir?"

20 Das Fräulein lächelte: „Immortellenkränze sind ganz
außer Mode. Höchstens in Winterzeit... Und dann
immer nur..."

„Es wird das Beste sein, ich entscheide mich ohne
weiteres für diesen hier." Und damit schob Botho den
25 ihm zunächst liegenden gelben Kranz über den Arm,
ließ den von Immergrün mit den weißen Rosen folgen
und stieg rasch wieder in seine Droschke. Beide Kränze
waren ziemlich groß und fielen auf dem roten Plüsch-
rücksitz, auf dem sie lagen, hinreichend auf, um in Bo-
30 tho die Frage zu wecken, ob er sie nicht lieber dem Kutscher hinüberreichen solle? Rasch aber entschlug er sich
dieser Anwandlung wieder und sagte: „Wenn man der
alten Frau Nimptsch einen Kranz bringen will, muß
man sich auch zu dem Kranz bekennen. Und wer sich
35 dessen schämt, muß es überhaupt nicht versprechen."

So ließ er denn die Kränze liegen, wo sie lagen, und
vergaß ihrer beinah ganz, als sie gleich danach in

151

einen Straßenteil einbogen, der ihn durch seine bunte, hier und da groteske Szenerie von seinen bisherigen Betrachtungen abzog. Rechts, auf wohl fünfhundert Schritt Entfernung hin, zog sich ein Plankenzaun, über den hinweg allerlei Buden, Pavillons und Lampenportale ragten, alle mit einer Welt von Inschriften bedeckt. Die meisten derselben waren neueren und neusten Datums, einige dagegen, und gerade die größten und buntesten, griffen weit zurück und hatten sich, wenn auch in einem regenverwaschenen Zustande, vom letzten Jahr her gerettet. Mitten unter diesen Vergnügungslokalen und mit ihnen abwechselnd, hatten verschiedene Handwerksmeister ihre Werkstätten aufgerichtet, vorwiegend Bildhauer und Steinmetze, die hier, mit Rücksicht auf die zahlreichen Kirchhöfe, meist nur Kreuze, Säulen und Obelisken ausstellten. All das konnte nicht verfehlen, auf jeden hier des Weges Kommenden einen Eindruck zu machen und diesem Eindruck unterlag auch Rienäcker, der von seiner Droschke her, unter wachsender Neugier, die nicht endenwollenden und untereinander im tiefsten Gegensatze stehenden Anpreisungen las und die dazu gehörigen Bilder musterte. „Fräulein Rosella das Wundermädchen, lebend zu sehen; Grabkreuze zu billigsten Preisen; amerikanische Schnellphotographie; russisches Ballwerfen, sechs Wurf zehn Pfennig; schwedischer Punsch mit Waffeln; Figaros schönste Gelegenheit oder erster Frisier-Salon der Welt; Grabkreuze zu billigsten Preisen; Schweizer Schießhalle:

    Schieße gut und schieße schnell,
    Schieß und triff wie Wilhelm Tell."

Und darunter Tell selbst mit Armbrust, Sohn und Apfel.

Endlich war man am Ende der langen Bretterwand und an eben diesem Endpunkte machte der Weg eine scharfe Biegung auf die Hasenheide zu, von deren Schießständen her man in der mittäglichen Stille das Knattern der Gewehre hörte. Sonst blieb alles auch in

dieser Fortsetzung der Straße so ziemlich dasselbe:
Blondin, nur in Trikot und Medaillen gekleidet, stand
balancierend auf dem Seil, überall von Feuerwerk um-
blitzt, während um und neben ihm allerlei kleinere
5 Plakate sowohl Ballonauffahrten wie Tanzvergnügun-
gen ankündigten. Eins lautete: „Sizilianische Nacht.
Und zwei Uhr Wiener Bonbonwalzer.“

Botho, der diese Stelle wohl seit Jahr und Tag nicht
passiert hatte, sah alles mit ungeheucheltem Interesse,
10 bis er nach Passierung der „Heide“, deren Schatten ihn
ein paar Minuten lang erquickt hatte, jenseits derselben
in den Hauptweg einer sehr belebten und in ihrer Ver-
längerung auf Rixdorf zulaufenden Vorstadt einbog.
Wagen, in doppelter und dreifacher Reihe, bewegten
15 sich vor ihm her, bis mit einem Male alles stillstand
und der Verkehr stockte. „Warum halten wir?“ Aber
ehe der Kutscher antworten konnte, hörte Botho schon
das Fluchen und Schimpfen aus der Front her und sah,
daß alles ineinandergefahren war. Sich vorbeugend und
20 dabei neugierig nach allen Seiten hin ausspähend, würde ihm, bei der ihm eigenen Vorliebe für das Volks-
tümliche, der ganze Zwischenfall sehr wahrscheinlich
mehr Vergnügen als Mißstimmung bereitet haben, wenn
ihn nicht ein vor ihm haltender Wagen sowohl durch
25 Ladung wie Inschrift zu trübseliger Betrachtung ange-
regt hätte. „Glasbruch-Ein- und Verkauf von Max Zip-
pel in Rixdorf“ stand in großen Buchstaben auf einem
wandartigen Hinterbrett und ein ganzer Berg von
Scherben türmte sich in dem Wagenkasten auf. „Glück
30 und Glas...“ Und mit Widerstreben sah er hin, und
dabei war ihm in allen Fingerspitzen, als schnitten ihn
die Scherben.

Endlich aber kam die Wagenreihe nicht nur wieder
in Fluß, sondern der Schimmel tat auch sein Bestes,
35 Versäumtes einzuholen, und eine kleine Weile, so hielt
man vor einem lehnan gebauten, mit hohem Dach und
vorspringendem Giebel ausstaffierten Eckhause, dessen

Erdgeschoßfenster so niedrig über der Straße lagen, daß sie mit dieser fast dasselbe Niveau hatten. Ein eiserner Arm streckte sich aus dem Giebel vor und trug einen aufrecht stehenden vergoldeten Schlüssel.

„Was ist das?" fragte Botho.

„Der Rollkrug."

„Gut. Dann sind wir bald da. Bloß hier noch bergan. Tut mir leid um den Schimmel, aber es hilft nichts."

Der Kutscher gab dem Pferd einen Knips und gleich danach fuhren sie die mäßig ansteigende Bergstraße hinauf, an deren einer Seite der a l t e, wegen Überfüllung schon wieder halb geschlossene Jakobikirchhof lag, während an der dem Kirchhofszaun gegenüber gelegenen Seite hohe Mietskasernen aufstiegen.

Vor dem letzten Hause standen umherziehende Spielleute, Horn und Harfe, dem Anscheine nach Mann und Frau. Die Frau sang auch, aber der Wind, der hier ziemlich scharf ging, trieb alles hügelan, und erst als Botho zehn Schritt und mehr an dem armen Musikantenpaare vorüber war, war er in der Lage, Text und Melodie zu hören. Es war dasselbe Lied, das sie damals auf dem Wilmersdorfer Spaziergange so heiter und so glücklich gesungen hatten, und er erhob sich und blickte, wie wenn es ihm nachgerufen würde, nach dem Musikantenpaare zurück. Die standen abgekehrt und sahen nichts, ein hübsches Dienstmädchen aber, das an der Giebelseite des Hauses mit Fensterputzen beschäftigt war und den um- und rückschauhaltenden Blick des jungen Offiziers sich zuschreiben mochte, schwenkte lustig von ihrem Fensterbrett her den Lederlappen und fiel übermütig mit ein: „Ich denke dran, ich danke d i r mein Leben, doch d u Soldat, Soldat denkst d u daran?"

Botho, die Stirn in die Hand drückend, warf sich in die Droschke zurück und ein Gefühl, unendlich süß und unendlich schmerzlich, ergriff ihn. Aber freilich das Schmerzliche wog vor und fiel erst ab von ihm, als die

Stadt hinter ihm lag und fern am Horizont im blauen
Mittagsdämmer die Müggelberge sichtbar wurden.

Endlich hielten sie vor dem Neuen Jakobikirchhof.

„Soll ich warten?"

„Ja. Aber nicht hier. Unten beim Rollkrug. Und
wenn Sie die Musikantenleute noch treffen... hier, das
ist für die arme Frau."

ZWEIUNDZWANZIGSTES KAPITEL

Botho hatte sich der Führung eines gleich am Kirch-
hofseingange beschäftigten Alten anvertraut und das
Grab der Frau Nimptsch in guter Pflege gefunden:
Efeuranken waren eingesetzt, ein Geraniumtopf stand
dazwischen und an einem Eisenständerchen hing bereits ein Immortellenkranz. „Ah, Lene", sagte Botho
vor sich hin. „Immer dieselbe... Ich komme zu spät."
Und dann wandt' er sich zu dem neben ihm stehenden
Alten und sagte: „War wohl bloß 'ne kleine Leiche?"

„Ja, klein war sie man."

„Drei oder vier?"

„Justement vier. Und versteht sich unser alter Supperndent. Er sprach bloß 's Gebet und die große mit-
telaltsche Frau, die mit dabei war, so vierzig oder drum
rum, die blieb in einem Weinen. Und auch 'ne Jungsche
war mit dabei. Die kommt jetzt alle Woche mal und
den letzten Sonntag hat sie den Geranium gebracht.
Und will auch noch 'n Stein haben, wie sie jetzt Mode
sind: grünpoliert mit Namen und Datum drauf."

Und hiernach zog sich der Alte mit der allen Kirch-
hofsleuten eigenen Geschäftspolitesse wieder zurück,
während Botho seinen Immortellenkranz an den schon
vorher von Lene gebrachten anhing, den aus Immergrün und weißen Rosen aber um den Geraniumtopf
herumlegte. Dann ging er, nachdem er noch eine Weile

das schlichte Grab betrachtet und der guten Frau Nimptsch liebevoll gedacht hatte, wieder auf den Kirchhofsausgang zu. Der Alte, der hier inzwischen seine Spalierarbeit wieder aufgenommen, sah ihm, die Mütze ziehend, nach und beschäftigte sich mit der Frage, was einen so vornehmen Herrn, über dessen Vornehmheit ihm, seinem letzten Händedruck nach, kein Zweifel war, wohl an das Grab der alten Frau geführt haben könne. „Da muß so was sein. Und hat die Droschke nicht warten lassen." Aber er kam zu keinem Abschluß, und um sich wenigstens auch seinerseits so dankbar wie möglich zu zeigen, nahm er eine der in seiner Nähe stehenden Gießkannen und ging erst auf den kleinen eisernen Brunnen und dann auf das Grab der Frau Nimptsch zu, um den im Sonnenbrand etwas trocken gewordenen Efeu zu bewässern.

Botho war mittlerweile bis an die dicht am Rollkruge haltende Droschke zurückgegangen, stieg hier ein und hielt eine Stunde später wieder in der Landgrafenstraße. Der Kutscher sprang dienstfertig ab und öffnete den Schlag.

„Da", sagte Botho... „Und dies extra. War ja 'ne halbe Landpartie..."

„Na, man kann's auch woll vor 'ne ganze nehmen."

„Ich verstehe", lachte Rienäcker. „Da muß ich wohl noch zulegen?"

„Schaden wird's nich... Danke schön, Herr Baron."

„Aber nun futtert mir auch den Schimmel besser 'raus. Is ja ein Jammer."

Und er grüßte und stieg die Treppe hinauf.

Oben in seiner Wohnung war alles still, selbst die Dienstboten fort, weil sie wußten, daß er um diese Zeit immer im Klub war. Wenigstens seit seinen Strohwitwertagen. „Unzuverlässiges Volk", brummte er vor sich hin und schien ärgerlich. Trotzdem war es ihm lieb, allein zu sein. Er wollte niemand sehn und setzte sich

draußen auf den Balkon, um so vor sich hin zu träu-
men. Aber es war stickig unter der herabgelassenen
Markise, dran zum Überfluß auch noch lange blau-
weiße Fransen hingen, und so stand er wieder auf, um
5 die große Leinwand in die Höh' zu ziehn. Das half.
Die sich nun einstellende frische Luftströmung tat ihm
wohl, und aufatmend und bis an die Brüstung vortre-
tend, sah er über Feld und Wald hin bis auf die Charlottenburger Schloßkuppel, deren malachitfarbne Kup-
10 ferbekleidung im Glanz der Nachmittagssonne schim-
merte.

„Dahinter liegt Spandau", sprach er vor sich hin.
„Und hinter Spandau zieht sich ein Bahndamm und
ein Schienengeleise, das bis an den Rhein läuft. Und
15 auf dem Geleise seh ich einen Zug, viele Wagen und in
einem der Wagen sitzt Käthe. Wie sie wohl aussehen
mag? O gut; gewiß. Und wovon sie wohl sprechen
mag? Nun, ich denke mir von allerlei: pikante Bade-
geschichten und vielleicht auch von Frau Salingers
20 Toiletten und daß es in Berlin doch eigentlich am besten sei. Und muß ich mich nicht freuen, daß sie wie-
derkommt? Eine so hübsche Frau, so jung, so glücklich,
so heiter. Und ich freue mich auch. Aber h e u t e darf sie
nicht kommen. Um Gottes willen nicht. Und doch ist
25 es ihr zuzutrauen. Sie hat seit drei Tagen nicht geschrieben und steht noch ganz auf dem Standpunkt der
Überraschungen."

Er hing dem noch eine Weile nach, dann aber wech-
selten die Bilder und längst Zurückliegendes trat statt
30 Käthes wieder vor seine Seele: der Dörrsche Garten,
der Gang nach Wilmersdorf, die Partie nach Hankels
Ablage. Das war der letzte schöne Tag gewesen, die
letzte glückliche Stunde... „Sie sagte damals, daß ein
Haar zu fest binde, darum weigerte sie sich und wollt'
35 es nicht. Und ich? warum bestand ich darauf? Ja, es
gibt solche rätselhaften Kräfte, solche Sympathien aus
Himmel oder Hölle und nun bin ich gebunden und

157

kann nicht los. Ach sie war so lieb und gut an jenem Nachmittag, als wir noch allein waren und an Störung nicht dachten, und ich vergesse das Bild nicht, wie sie da zwischen den Gräsern stand und nach rechts und links hin die Blumen pflückte. Die Blumen, – ich habe sie noch. Aber ich will ein Ende damit machen. Was sollen mir diese toten Dinge, die mir nur Unruhe stiften und mir mein bißchen Glück und meinen Ehefrieden kosten, wenn je ein fremdes Auge darauf fällt."

Und er erhob sich von seinem Balkonplatz und ging, durch die ganze Wohnung hin, in sein nach dem Hofe hinaus gelegenes Arbeitszimmer, das des Morgens in heller Sonne, jetzt aber in tiefem Schatten lag. Die Kühle tat ihm wohl, und er trat an einen eleganten, noch aus seiner Junggesellenzeit herstammenden Schreibtisch heran, dessen Ebenholzkästchen mit allerlei kleinen Silbergirlanden ausgelegt waren. In der Mitte dieser Kästchen aber baute sich ein mit einem Giebelfeld ausgestattetes und zur Aufbewahrung von Wertsachen dienendes Säulentempelchen auf, dessen nach hintenzu gelegenes Geheimfach durch eine Feder geschlossen wurde. Botho drückte jetzt auf die Feder und nahm, als das Fach aufsprang, ein kleines Briefbündel heraus, das mit einem roten Faden umwunden war, obenauf aber, und wie nachträglich eingeschoben, lagen die Blumen, von denen er eben gesprochen. Er wog das Päckchen in Händen und sagte, während er den Faden ablöste: „Viel Freud, viel Leid. Irrungen, Wirrungen. Das alte Lied."

Er war allein und an Überraschung nicht zu denken. In seiner Vorstellung aber immer noch nicht sicher genug, stand er auf und schloß die Tür. Und nun erst nahm er den obenauf liegenden Brief mit Ruhe. Es waren die den Tag vor dem Wilmersdorfer Spaziergange geschriebenen Zeilen, und mit Rührung sah er jetzt im Wiederlesen auf alles das, was er damals mit einem Bleistiftstrichelchen bezeichnet hatte. „Stiehl...Alléh...

158

Wie diese liebenswürdigen ‚h's' mich auch heute wieder anblicken, besser als alle Orthographie der Welt. Und wie klar die Handschrift. Und wie gut und schelmisch, was sie da schreibt. Ach, sie hatte die glücklichste Mi-
5 schung und war vernünftig und leidenschaftlich zugleich. Alles was sie sagte, hatte Charakter und Tiefe des Gemüts. Arme Bildung, wie weit bleibst du dahinter zurück."

Er nahm nun auch den zweiten Brief und wollte sich
10 überhaupt vom Schluß her bis an den Anfang der Korrespondenz durchlesen. Aber es tat ihm zu weh. „Wozu? Wozu beleben und auffrischen, was tot ist und tot bleiben muß? Ich muß aufräumen damit und dabei hoffen, daß mit diesen Trägern der Erinnerung auch die
15 Erinnerungen selbst hinschwinden werden."

Und wirklich, er war es entschlossen, und sich rasch von seinem Schreibtisch erhebend, schob er einen Kaminschirm beiseit und trat an den kleinen Herd, um die Briefe darauf zu verbrennen. Und siehe da, lang-
20 sam, als ob er sich das Gefühl eines süßen Schmerzes verlängern wolle, ließ er jetzt Blatt auf Blatt auf die Herdstelle fallen und in Feuer aufgehen. Das letzte, was er in Händen hielt, war das Sträußchen, und während er sann und grübelte, kam ihm eine Anwandlung,
25 als ob er jede Blume noch einmal einzeln betrachten und zu diesem Zwecke das Haarfädchen lösen müsse. Plötzlich aber, wie von abergläubischer Furcht erfaßt, warf er die Blumen den Briefen nach.

Ein Aufflackern noch und nun war alles vorbei, ver-
30 glommen.

„Ob ich nun frei bin? ... Will ich's denn? Ich will es n i c h t. Alles Asche. Und d o c h gebunden."

Botho sah in die Asche. „Wie wenig und wie viel."
Und dann schob er den eleganten Kaminschirm wieder
vor, in dessen Mitte sich die Nachbildung einer pompe-
janischen Wandfigur befand. Hundertmal war sein
Auge darüber hinweggeglitten, ohne zu beachten, was
es eigentlich sei, heute sah er es und sagte: „Minerva
mit Schild und Speer. Aber Speer bei Fuß. Vielleicht
bedeutet es Ruhe... Wär' es so." Und dann stand er
auf, schloß das um seinen besten Schatz ärmer gewordene Geheimfach und ging wieder nach vorn.

Unterwegs, auf dem ebenso schmalen wie langen
Korridore, traf er Köchin und Hausmädchen, die diesen Augenblick erst von einem Tiergartenspaziergange
zurückkamen. Als er beide verlegen und ängstlich da-
stehen sah, überkam ihn ein menschlich Rühren, aber
er bezwang sich und rief sich zu, wenn auch freilich mit
einem Anfluge von Ironie, „daß endlich einmal ein
Exempel statuiert werden müsse". So begann er denn,
so gut er konnte, die Rolle des donnernden Zeus zu
spielen. Wo sie nur gesteckt hätten? Ob das Ordnung
und gute Sitte sei? Er habe nicht Lust, der gnädigen
Frau, wenn sie zurückkomme (vielleicht heute schon),
einen aus Rand und Band gegangenen Hausstand zu
überliefern. Und der Bursche? „Nun, ich will nichts
wissen, nichts hören, am wenigsten Entschuldigungen."
Und als dies heraus war, ging er weiter und lächelte,
zumeist über sich selbst. „Wie leicht ist doch predigen
und wie schwer ist danach handeln und tun. Armer
Kanzelheld ich! Bin ich nicht selbst aus Rand und Band?
Bin ich nicht selber aus Ordnung und guter Sitte? Daß
es war, das möchte gehn, aber daß es noch ist, das ist
das Schlimme."

Dabei nahm er wieder seinen Platz auf dem Balkon
und klingelte. Jetzt kam auch der Bursche, fast noch
ängstlicher und verlegener als die Mädchen, aber es

hatte keine Not mehr, das Wetter war vorüber. „Sage
der Köchin, daß ich etwas essen will. Nun, warum
stehst du noch? Ah, ich sehe schon (und er lachte),
nichts im Hause. Trifft sich alles vorzüglich... – Also
5 Tee; bringe mir Tee, d e r wird doch wohl da sein. Und
laß ein paar Schnitten machen; alle Wetter, ich habe
Hunger... Und sind die Abendzeitungen schon da?"
  „Zu Befehl, Herr Rittmeister."
  Nicht lange, so war der Teetisch draußen auf dem
10 Balkon serviert und selbst ein Imbiß hatte sich gefunden. Botho saß zurückgelehnt in den Schaukelstuhl und
starrte nachdenklich in die kleine blaue Flamme. Dann
nahm er zunächst den Moniteur seiner kleinen Frau,
das „Fremdenblatt", und erst in weiterer Folge die
15 „Kreuzzeitung" zur Hand und sah auf die letzte Seite.
„Gott, wie wird Käthe sich freuen, diese letzte Seite
jeden Tag wieder frisch an der Quelle studieren zu
können, will sagen zwölf Stunden früher als in Schlangenbad. Und hat sie nicht recht? ‚Unsere heut vollzo-
20 gene eheliche Verbindung beehren sich anzuzeigen
Adalbert von Lichterloh, Regierungsreferendar und
Leutnant der Reserve, Hildegard von Lichterloh, geb.
Holtze.' Wundervoll. Und wahrhaftig, so zu sehn, wie
sich's weiter lebt und liebt in der Welt, ist eigentlich
25 das beste. Hochzeit und Kindtaufen! Und ein paar
Todesfälle dazwischen. Nun, die braucht man ja nicht
zu lesen, Käthe tut es nicht und ich tu es auch nicht und
bloß wenn die Vandalen mal einen ihrer ‚alten Herrn'
verloren haben und ich das Korpszeichen inmitten der
30 Trauer-Annonce sehe, das les ich, das erheitert mich
und ist mir immer, als ob der alte Korpskämpe zu Hof-
bräu nach Walhalla geladen wäre. Spatenbräu paßt
eigentlich noch besser."
  Er legte das Blatt wieder beiseit, weil es klingelte...
35 „Sollte sie wirklich..." Nein, es war nichts, bloß eine
vom Wirt heraufgeschickte Suppenliste, drauf erst fünfzig Pfennig gezeichnet standen. Aber den ganzen Abend

über blieb er trotzdem in Aufregung, weil ihm beständig die Möglichkeit einer Überraschung vorschwebte, und so oft er eine Droschke mit einem Koffer vorn und einem Damenreisehute dahinter in die Landgrafenstraße einbiegen sah, rief er sich zu: „Das ist sie; sie liebt dergleichen und ich höre sie schon sagen: ich dacht' es mir so komisch, Botho."

Käthe war nicht gekommen. Statt ihrer kam am anderen Morgen ein Brief, worin sie ihre Rückkehr für den dritten Tag anmeldete. „Sie werde wieder mit Frau Salinger reisen, die doch, alles in allem, eine sehr nette Frau sei, mit viel guter Laune, viel chic und viel Reisekomfort."

Botho legte den Brief aus der Hand und freute sich momentan ganz aufrichtig, seine schöne junge Frau binnen drei Tagen wiederzusehen. „Unser Herz hat Platz für allerlei Widersprüche ... Sie dalbert, nun ja, aber eine dalbrige junge Frau ist immer noch besser als keine."

Danach rief er die Leute zusammen und ließ sie wissen, daß die gnädige Frau in drei Tagen wieder da sein werde; sie sollten alles instand setzen und die Schlösser putzen. Und kein Fliegenfleck auf dem großen Spiegel.

Als er so Vorkehrungen getroffen, ging er zum Dienst in die Kaserne. „Wenn wer fragt, ich bin von fünf an wieder zu Haus."

Sein Programm für die zwischenliegende Zeit ging dahin, daß er bis Mittag auf dem Eskadronhofe bleiben, dann ein paar Stunden reiten und nach dem Ritt im Klub essen wollte. Wenn er niemand anders dort traf, so traf er doch Balafré, was gleichbedeutend war mit Whist en deux und einer Fülle von Hofgeschichten, wahren und unwahren. Denn Balafré, so zuverlässig er war, legte doch grundsätzlich eine Stunde des Tags für Humbug und Aufschneidereien an. Ja, diese Be-

162

schäftigung stand ihm, nach Art eines geistigen Sports, unter seinen Vergnügungen obenan.

Und wie das Programm war, so wurd' es auch ausgeführt. Die Hofuhr in der Kaserne schlug eben zwölf, als er sich in den Sattel hob und nach Passierung erst der „Linden" und gleich danach der Luisenstraße, schließlich in einen neben dem Kanal hinlaufenden Weg einbog, der weiterhin seine Richtung auf Plötzensee zu nahm. Dabei kam ihm der Tag wieder in Erinnerung, an dem er hier auch herumgeritten war, um sich Mut für den Abschied von Lene zu gewinnen, für den Abschied, der ihm so schwer ward und der doch sein mußte. Das war nun drei Jahre. Was lag alles dazwischen? Viel Freude; gewiß. Aber es war doch keine rechte Freude gewesen. Ein Bonbon, nicht viel mehr. Und wer kann von Süßigkeiten leben!

Er hing dem noch nach, als er auf einem von der Jungfernheide her nach dem Kanal hinüberführenden Reitwege zwei Kameraden herankommen sah, Ulanen, wie die deutlich erkennbaren Tschapkas schon von fernher verrieten. Aber wer waren sie? Freilich, die Zweifel auch darüber konnten nicht lange währen, und noch ehe man sich von hüben und drüben bis auf hundert Schritte genähert hatte, sah Botho, daß es die Rexins waren, Vettern und beide vom selben Regiment.

„Ah, Rienäcker", sagte der Ältere. „Wohin?"

„So weit der Himmel blau ist."

„Das ist mir zu weit."

„Nun dann bis Saatwinkel."

„Das läßt sich hören. Da bin ich mit von der Partie, vorausgesetzt, daß ich nicht störe... Kurt (und hiermit wandt' er sich an seinen jüngeren Begleiter), Pardon! Aber ich habe mit Rienäcker zu sprechen. Und unter Umständen..."

„...spricht sich's besser zu zweien. Ganz nach deiner Bequemlichkeit, Bozel", und dabei grüßte Kurt von Rexin und ritt weiter. Der mit Bozel angeredete Vet-

ter aber warf sein Pferd herum, nahm die linke Seite
neben dem ihm in der Rangliste weit vorstehenden
Rienäcker und sagte: „Nun denn also Saatwinkel. In
die Tegeler Schußlinie werden wir ja wohl nicht ein-
reiten."   5

„Ich werd' es wenigstens zu vermeiden suchen", entgegnete Rienäcker, „erstens mir selbst und zweitens
Ihnen zuliebe. Und drittens und letztens um Henriet-
tens willen. Was würde die schwarze Henriette sagen,
wenn ihr ihr Bogislaw totgeschossen würde und noch   10
dazu durch eine befreundete Granate?"

„Das würd' ihr freilich einen Stich ins Herz geben",
erwiderte Rexin, „und ihr und mir einen Strich durch
die Rechnung machen."

„Durch welche Rechnung?"   15

„Das ist eben der Punkt, Rienäcker, über den ich mit
Ihnen sprechen wollte."

„Mit mir? Und von welchem Punkte?"

„Sie sollten es eigentlich erraten und ist auch nicht
schwer. Ich spreche natürlich von einem Verhältnis,   20
m e i n e m Verhältnis."

„Verhältnis!" lachte Botho. „Nun, ich stehe zu Diensten, Rexin. Aber offen gestanden, ich weiß nicht recht,
was speziell m i r Ihr Vertrauen einträgt. Ich bin nach
keiner Seite hin, am wenigsten aber nach dieser, eine   25
besondere Weisheitsquelle. Da haben wir ganz andere
Autoritäten. Eine davon kennen Sie gut. Noch dazu
Ihr und Ihres Vetters besonderer Freund."

„Balafré?"

„Ja."   30

Rexin fühlte was von Nüchternheit und Ablehnung
heraus und schwieg einigermaßen verstimmt. Das aber
war mehr, als Botho bezweckt hatte, weshalb er sofort
wieder einlenkte. „Verhältnisse. Pardon, Rexin, es gibt
ihrer so viele."   35

„Gewiß. Aber so viel ihrer sind, so verschieden sind
sie auch."

Botho zuckte mit den Achseln und lächelte. Rexin aber, sichtlich gewillt, sich nicht zum zweiten Male durch Empfindelei stören zu lassen, wiederholte nur in gleichmütigem Tone: „Ja, so viel ihrer, so verschieden auch. Und ich wundre mich, Rienäcker, gerade Sie mit den Achseln zucken zu sehn. Ich dachte mir . . ."

„Nun denn heraus mit der Sprache."

„Soll geschehn."

Und nach einer Weile fuhr Rexin fort: „Ich habe die hohe Schule durchgemacht, bei den Ulanen und schon vorher (Sie wissen, daß ich erst spät dazu kam) in Bonn und Göttingen und brauche keine Lehren und Ratschläge, wenn sich's um das Übliche handelt. Aber wenn ich mich ehrlich befrage, so handelt sich's in meinem Falle nicht um das Übliche, sondern um einen Ausnahmefall."

„Glaubt jeder."

„Kurz und gut, ich fühle mich engagiert, mehr als das, ich liebe Henrietten, oder um Ihnen so recht meine Stimmung zu zeigen, ich liebe die schwarze Jette. Ja, dieser anzügliche Trivialname mit seinem Anklang an Kantine paßt mir am besten, weil ich alle feierlichen Allüren in dieser Sache vermeiden möchte. Mir ist ernsthaft genug zumut und weil mir ernsthaft zumut ist, kann ich alles, was wie Feierlichkeit und schöne Redensart aussieht, nicht brauchen. Das schwächt bloß ab."

Botho nickte zustimmend und entschlug sich mehr und mehr jedes Anfluges von Spott und Superiorität, den er bis dahin allerdings gezeigt hatte.

„Jette", fuhr Rexin fort, „stammt aus keiner Ahnenreihe von Engeln und ist selber keiner. Aber wo findet man dergleichen? In unsrer Sphäre? Lächerlich. Alle diese Unterschiede sind ja gekünstelt und die gekünsteltsten liegen auf dem Gebiete der Tugend. Natürlich gibt es Tugend und ähnliche schöne Sachen, aber Unschuld und Tugend sind wie Bismarck und Moltke, das heißt rar. Ich habe mich ganz in Anschauungen wie diese hineingelebt, halte sie für richtig und habe vor, danach zu handeln soweit es geht. Und nun hören Sie, Rienäcker. Ritten wir hier statt an diesem langweiligen Kanal, so langweilig und strippengerade wie die Formen und Formeln unsrer Gesellschaft, ich sage, ritten 5 wir hier statt an diesem elenden Graben am Sacramento hin und hätten wir statt der Tegeler Schießstände die Diggings vor uns, so würd' ich die Jette freiweg heiraten; ich kann ohne sie nicht leben, sie hat es mir angetan und ihre Natürlichkeit, Schlichtheit und wirkliche 10 Liebe wiegen mir zehn Komtessen auf. Aber es geht nicht. Ich kann es meinen Eltern nicht antun und mag auch nicht mit siebenundzwanzig aus dem Dienst heraus, um in Texas Cowboy zu werden oder Kellner auf einem Mississippidampfer. Also Mittelkurs…“ 15

„Was verstehen Sie darunter?“

„Einigung ohne Sanktion.“

„Also Ehe ohne Ehe.“

„Wenn Sie wollen, ja. Mir liegt nichts am Wort, ebensowenig wie an Legalisierung, Sakramentierung, 20 oder wie sonst noch diese Dinge heißen mögen; ich bin etwas nihilistisch angeflogen und habe keinen rechten Glauben an pastorale Heiligsprechung. Aber, um's kurz zu machen, ich bin, weil ich nicht anders kann, für Monogamie, nicht aus Gründen der Moral, sondern aus 25 Gründen meiner mir eingebornen Natur. Mir widerstehen alle Verhältnisse, wo knüpfen und lösen sozusagen in dieselbe Stunde fällt, und wenn ich mich eben einen Nihilisten nannte, so kann ich mich mit noch größerem Recht einen Philister nennen. Ich sehne mich nach 30 einfachen Formen, nach einer stillen, natürlichen Lebensweise, wo Herz zum Herzen spricht und wo man das Beste hat, was man haben kann, Ehrlichkeit, Liebe, Freiheit.“

„Freiheit“, wiederholte Botho. 35

„Ja, Rienäcker. Aber weil ich wohl weiß, daß auch Gefahren dahinter lauern und dies Glück der Freiheit, vielleicht aller Freiheit, ein zweischneidig Schwert ist, das verletzen kann, man weiß nicht wie, so hab ich Sie fragen wollen."

„Und ich will Ihnen antworten", sagte der mit jedem Augenblick ernster gewordene Rienäcker, dem bei diesen Konfidenzen das eigne Leben, das zurückliegende wie das gegenwärtige, wieder vor die Seele treten mochte. „Ja, Rexin, ich will Ihnen antworten, so gut ich kann, und ich glaube, daß ich es kann. Und so beschwör ich Sie denn, bleiben Sie davon. Bei dem, was Sie vorhaben, ist immer nur zweierlei möglich und das eine ist gerade so schlimm wie das andre. Spielen Sie den Treuen und Ausharrenden oder was dasselbe sagen will, brechen Sie von Grund aus mit Stand und Herkommen und Sitte, so werden Sie, wenn Sie nicht versumpfen, über kurz oder lang sich selbst ein Greuel und eine Last sein, verläuft es aber anders und schließen Sie, wie's die Regel ist, nach Jahr und Tag Ihren Frieden mit Gesellschaft und Familie, dann ist der Jammer da, dann muß gelöst werden, was durch glückliche Stunden und ach, was mehr bedeutet, durch unglückliche, durch Not und Ängste verwebt und verwachsen ist. Und das tut weh."

Rexin schien antworten zu wollen, aber Botho sah es nicht und fuhr fort: „Lieber Rexin, Sie haben vorhin in einem wahren Musterstücke dezenter Ausdrucksweise von Verhältnissen gesprochen, ‚wo knüpfen und lösen in dieselbe Stunde fällt‘, aber diese Verhältnisse, die keine sind, sind nicht die schlimmsten, die schlimmsten sind die, die, um Sie noch mal zu zitieren, den ‚Mittelkurs‘ halten. Ich warne Sie, hüten Sie sich vor diesem Mittelkurs, hüten Sie sich vor dem Halben. Was Ihnen Gewinn dünkt, ist Bankrott und was Ihnen Hafen scheint, ist Scheiterung. Es führt n i e zum Guten, auch wenn äußerlich alles glatt abläuft und keine Verwünschung ausgesprochen und kaum ein stiller Vorwurf erhoben wird. Und es kann auch nicht anders sein. Denn

alles hat seine natürliche Konsequenz, dessen müssen
wir eingedenk sein. Es kann nichts ungeschehen gemacht
werden und ein Bild, das uns in die Seele gegraben
wurde, verblaßt nie ganz wieder, schwindet nie ganz
wieder dahin. Erinnerungen bleiben und Vergleiche 5
kommen. Und so denn noch einmal, Freund, zurück
von Ihrem Vorhaben oder Ihr Leben empfängt eine
Trübung und Sie ringen sich nie mehr zu Klarheit und
Helle durch. Vieles ist erlaubt, nur nicht das, was die
Seele trifft, nur nicht Herzen hineinziehen und wenn's 10
auch bloß das eigne wäre."

VIERUNDZWANZIGSTES KAPITEL

Am dritten Tage traf ein im Abreisemoment aufgege-
benes Telegramm ein: „Ich komme heut abend. K."
Und wirklich, sie kam. Botho war am Anhalter 15
Bahnhof und wurde der Frau Salinger vorgestellt, die
von Dank für gute Reisekameradschaft nichts hören
wollte, vielmehr immer nur wiederholte, wie glücklich
s i e gewesen sei, vor allem aber, wie glücklich e r sein
müsse, solche reizende junge Frau zu haben. „Schaun's, 20
Herr Baron, wann i das Glück hätt' und der Herr Ge-
moahl wär', i würd' mi kein' drei Tag' von s o l c h ane
Frau trenne." Woran sie dann Klagen über die gesamte Männerwelt, aber im selben Augenblick auch eine
dringende Einladung nach Wien knüpfte. „Wir hoab'n 25
a nett's Häusl kei Stund von Wian und a paar Reit-
pferd' und a Küch'. In Preußen hoaben's die Schul und
in Wian hoaben wir die Küch'. Und i weiß halt nit,
was i vorzieh."
„Ich weiß es", sagte Käthe, „und ich glaube Botho 30
auch."
Damit trennte man sich, und unser junges Paar stieg
in einen offenen Wagen, nachdem Ordre gegeben war,
das Gepäck nachzuschicken.

Käthe warf sich zurück und stemmte den kleinen Fuß gegen den Rücksitz, auf dem ein Riesenbukett, die letzte Huldigung der von der reizenden Berliner Dame ganz entzückten Schlangenbader Hauswirtin lag. Käthe selbst nahm Bothos Arm und schmiegte sich an ihn, aber auf wenig Augenblicke nur, dann richtete sie sich wieder auf und sagte, während sie mit dem Sonnenschirm das immer aufs neue herunterfallende Bukett festhielt: „Es ist doch eigentlich reizend hier, all die Menschen und die vielen Spreekähne, die vor Enge nicht ein noch aus wissen. Und so wenig Staub. Ich find es doch einen rechten Segen, daß sie jetzt sprengen und alles unter Wasser setzen; freilich lange Kleider darf man dabei nicht tragen. Und sieh nur den Brotwagen da mit dem vorgespannten Hund. Es ist doch zu komisch. Nur der Kanal... Ich weiß nicht, er ist immer noch so..."

„Ja", lachte Botho, „er ist immer noch so. Vier Wochen Julihitze haben ihn nicht verbessern können."

Sie fuhren unter den jungen Bäumen hin, Käthe riß ein Lindenblatt ab, nahm's in die hohle Hand und schlug drauf, daß es knallte. „So machten wir's immer zu Haus. Und in Schlangenbad, wenn wir nichts Besseres zu tun hatten, haben wir's auch so gemacht und alle die Spielereien aus der Kinderzeit wieder aufgenommen. Kannst du dir's denken, ich hänge ganz ernsthaft an solchen Torheiten und bin doch eigentlich eine alte Person und habe abgeschlossen."

„Aber Käthe..."

„Ja, ja, Matrone, du wirst es sehn... Aber sieh doch nur, Botho, da ist ja noch der Staketenzaun und das alte Weißbierlokal mit dem komischen und etwas unanständigen Namen, über den wir in der Pension immer so schrecklich gelacht haben. Ich dachte, das Lokal wäre längst eingegangen. Aber so was lassen sich die Berliner nicht nehmen, so was hält sich; alles muß nur einen sonderbaren Namen haben, über den sie sich amüsieren können."

Botho schwankte zwischen Glücklichsein und Anflug von Verstimmung. „Ich finde, du bist ganz unverändert, Käthe."

„Gewiß bin ich. Und warum sollt' ich auch verändert sein? Ich bin ja nicht nach Schlangenbad geschickt worden, um mich zu verändern, wenigstens nicht in meinem Charakter und meiner Unterhaltung. Und ob ich mich sonst verändert habe? Nun, cher ami, nous verrons."

„Matrone?"

Sie hielt ihm den Finger auf den Mund und schlug den Reiseschleier wieder zurück, der ihr halb über das Gesicht gefallen war, gleich danach aber passierten sie den Potsdamer Bahnviadukt, über dessen Eisengebälk eben ein Kurierzug hinbrauste. Das gab ein Zittern und Donnern zugleich, und als sie die Brücke hinter sich hatten, sagte sie: „Mir ist es immer unangenehm, gerade drunter zu sein."

„Aber die drüber haben es nicht besser."

„Vielleicht nicht. Aber es liegt in der Vorstellung. Vorstellungen sind überhaupt so mächtig. Meinst du nicht auch?" Und sie seufzte, wie wenn sich ihr plötzlich etwas Schreckliches und tief in ihr Leben Eingreifendes vor die Seele gestellt hätte. Dann aber fuhr sie fort: „In England, so sagte mir Mr. Armstrong, eine Badebekanntschaft, von der ich dir noch ausführlicher erzählen muß, übrigens mit einer Alvensleben verheiratet, in England, sagte er, würden die Toten fünfzehn Fuß tief begraben. Nun fünfzehn Fuß tief ist nicht schlimmer als fünf, aber ich fühlte ordentlich, während er mir's erzählte, wie sich mir der clay, das ist nämlich das richtige englische Wort, zentnerschwer auf die Brust legte. Denn in England haben sie schweren Lehmboden."

„Armstrong sagtest du... Bei den badischen Dragonern war ein Armstrong."

„Ein Vetter von dem. Sie sind alle Vettern, ganz wie bei uns. Ich freue mich schon, dir ihn in all seinen kleinen Eigenheiten schildern zu können. Ein vollkommener Kavalier mit aufgesetztem Schnurrbart, worin er freilich etwas zu weit ging. Er sah sehr komisch aus, diese gewribbelte Spitze, dran er immer noch weiter wribbelte."

Zehn Minuten später hielt ihr Wagen vor ihrer Wohnung, und Botho, während er ihr den Arm reichte, führte sie hinauf. Eine Girlande zog sich um die große Korridortür und eine Tafel mit dem Inschriftsworte „Willkommen", in dem leider ein „l" fehlte, hing etwas schief an der Girlande. Käthe sah hinauf und las und lachte.

„Willkommen! Aber bloß mit einem ‚l', will sagen nur halb. Ei, ei. Und ‚L' ist noch dazu der Liebesbuchstabe. Nun, du sollst auch alles nur halb haben."

Und so trat sie durch die Tür in den Korridor ein, wo Köchin und Hausmädchen bereits standen und ihr die Hand küßten.

„Guten Tag, Bertha; guten Tag, Minette. Ja, Kinder, da bin ich wieder. Nun, wie findet Ihr mich? hab ich mich erholt?" Und eh' die Mädchen antworten konnten, worauf auch gar nicht gerechnet war, fuhr sie fort: „Aber i h r habt euch erholt. Namentlich du, Minette, du bist ja ordentlich stark geworden."

Minette sah verlegen vor sich hin, weshalb Käthe gutmütig hinzusetzte: „Ich meine nur hier so um Kinn und Hals."

Indem kam auch der Bursche. „Nun, Orth, ich war schon in Sorge um Sie. Gott sei Dank, ohne Not; ganz unverfallen, bloß ein bißchen bläßlich. Aber das macht die Hitze. Und immer noch dieselben Sommersprossen."

„Ja, gnädige Frau, d i e sitzen."

„Nun das ist recht. Immer echt in der Farbe."

Unter solchem Gespräche war sie bis in ihr Schlafzimmer gegangen, wohin Botho und Minette ihr folgten, während die beiden andern sich in ihre Küchenregion zurückzogen.

„Nun, Minette, hilf mir. Erst den Mantel. Und nun nimm den Hut. Aber sei vorsichtig, wir wissen uns sonst vor Staub nicht zu retten. Und nun sage Orth, daß er den Tisch deckt vorn auf dem Balkon, ich habe den ganzen Tag keinen Bissen genossen, weil ich wollte, daß es mir recht gut bei euch schmecken solle. Und nun geh, liebe Seele; geh, Minette."

Minette beeilte sich und ging, während Käthe vor dem hohen Stehspiegel stehenblieb und sich das in Unordnung geratene Haar arrangierte. Zugleich sah sie im Spiegel auf Botho, der neben ihr stand und die schöne junge Frau musterte.

„Nun, Botho", sagte sie schelmisch und kokett und ohne sich nach ihm umzusehen.

Und ihre liebenswürdige Koketterie war klug genug berechnet, und er umarmte sie, wobei sie sich seinen Liebkosungen überließ. Und nun umspannte er ihre Taille und hob sie hoch in die Höh'. „Käthe, Puppe, liebe Puppe."

„Puppe, liebe Puppe, das sollt' ich eigentlich übelnehmen, Botho. Denn mit Puppen spielt man. Aber ich nehm es nicht übel, im Gegenteil. Puppen werden am meisten geliebt und am besten behandelt. Und darauf kommt es mir an."

FÜNFUNDZWANZIGSTES KAPITEL

Es war ein herrlicher Morgen, der Himmel halb bewölkt und in dem leisen Westwinde, der ging, saß das junge Paar auf dem Balkon und sah, während Minette den Kaffeetisch abräumte, nach dem Zoologischen und seinen Elefantenhäusern hinüber, deren bunte Kuppeln im Morgendämmer lagen.

„Ich weiß eigentlich noch nichts", sagte Botho, „du bist ja gleich eingeschlafen und der Schlaf ist mir heilig. Aber nun will ich auch alles wissen. Erzähle."

172

„Ja, erzählen; was soll ich erzählen? Ich habe dir ja
so viele Briefe geschrieben, und Anna Grävenitz und
Frau Salinger mußt du ja so gut kennen wie ich oder
eigentlich noch besser, denn ich habe mitunter mehr geschrieben, als ich wußte."

„Wohl. Aber ebensooft hieß es ‚davon mündlich'.
Und dieser Moment ist nun da, sonst denk ich, du willst
mir etwas verschweigen. Von deinen Ausflügen weiß
ich eigentlich gar nichts und du warst doch in Wiesbaden. Es heißt zwar, daß es in Wiesbaden nur Obersten
und alte Generäle gäbe, aber es sind doch auch Englän-
der da. Und bei Engländern fällt mir wieder dein
Schotte ein, von dem du mir erzählen wolltest. Wie
hieß er doch?"

„Armstrong; Mr. Armstrong. Ja, das war ein entzückender Mann und ich begriff seine Frau nicht, eine
Alvensleben, wie ich dir, glaub ich, schon sagte, die beständig in Verlegenheit kam, wenn er sprach. Und er
war doch ein vollkommener Gentleman, der sehr auf
sich hielt, auch dann noch, wenn er sich gehen ließ und
eine gewisse Nonchalance zeigte. Gentlemen bewähren
sich in solchen Momenten immer am besten. Meinst du
nicht auch? Er trug einen blauen Schlips und einen gelben Sommeranzug und sah aus, als ob er darin einge-
näht wäre, weshalb Anna Grävenitz immer sagte: Da
kommt das Pennal. Und immer ging er mit einem großen aufgespannten Sonnenschirm, was er sich in In-
dien angewöhnt hatte. Denn er war Offizier in einem
schottischen Regiment, das lange in Madras oder Bom-
bay gestanden, oder vielleicht war es auch Delhi. Das
ist aber am Ende gleich. Was d e r alles erlebt hatte!
Seine Konversation war reizend, wenn man auch mitunter nicht wußte, wie man's nehmen sollte."

„Also zudringlich? Insolent?"

„Ich bitte dich, Botho, wie du nur sprichst. Ein Mann
wie der; Kavalier comme il faut. Nun, ich will dir ein
Beispiel von seiner Art zu sprechen geben. Uns gegen-

173

über saß die alte Generalin von Wedell, und Anna
Grävenitz fragte sie (ich glaube, es war gerade der
Jahrestag von Königgrätz), ob es wahr sei, daß drei-
unddreißig Wedells im Siebenjährigen Kriege gefallen
seien? was die alte Generalin bejahte, hinzusetzend, es 5
wären eigentlich noch einige mehr gewesen. Alle, die
zunächst saßen, waren über die große Zahl erstaunt,
nur Mr. Armstrong nicht, und als ich ihn wegen seiner
Gleichgiltigkeit scherzhaft zur Rede stellte, sagte er,
daß er sich über so kleine Zahlen nicht aufregen könne. 10
‚Kleine Zahlen‘, unterbrach ich ihn, aber er setzte lachend und um mich zu widerlegen, hinzu: von den
Armstrongs seien einhundertdreiunddreißig in den verschiedenen Kriegsfehden seines Clans umgekommen.
Und als die alte Generalin dies anfangs nicht glauben 15
wollte, schließlich aber (als Mr. A. dabei beharrte,)
neugierig frug: ob denn alle hundertdreiunddreißig auch
wirklich ‚gefallen‘ seien? sagte er: ‚Nein, meine Gnädigste, nicht gerade gefallen, die meisten sind wegen
Pferdediebstahl von den Engländern, unseren damali- 20
gen Feinden, gehenkt worden.‘ Und als sich alles über
dies unstandesgemäße, ja, man kann wohl sagen, etwas
genierliche Gehenktwerden entsetzte, schwor er, ‚wir
täten Unrecht, Anstoß daran zu nehmen, die Zeiten
und Anschauungen änderten sich und was seine doch 25
zunächst beteiligte Familie betreffe, so sähe dieselbe mit
Stolz auf diese Heldenvorfahren zurück. Die schotti-
sche Kriegsführung habe dreihundert Jahre lang aus
Viehraub und Pferdediebstahl bestanden, ländlich sitt-
lich, und er könne nicht finden, daß ein großer Unter- 30
schied sei zwischen Länderraub und Viehraub.‘“

„Verkappter Welfe“, sagte Botho. „Aber es hat manches für sich.“

„Gewiß. Und ich stand immer auf seiner Seite, wenn
er sich in solchen Sätzen erging. Ach, er war zum Tot- 35
lachen. Er sagte, man müsse nichts feierlich nehmen, es
verlohne sich nicht, und nur das Angeln sei eine ernste

Beschäftigung. Er angle mitunter vierzehn Tage lang im Loch Neß oder im Loch Lochy, denke dir, solche komische Namen gibt es in Schottland, und schliefe dann im Boot und mit Sonnenaufgang stünd' er wieder da und wenn dann die vierzehn Tage um wären, dann mausre er sich, dann ginge die ganze schülbrige Haut ab und dann hab er eine Haut wie ein Baby. Und er täte das alles aus Eitelkeit, denn ein glatter egaler Teint sei doch eigentlich das Beste, was man haben könne. Und dabei sah er mich so an, daß ich nicht gleich eine Antwort finden konnte. Ach, ihr Männer! Aber das ist doch wahr, ich hatte von Anfang an ein rechtes Attachement für ihn und nahm nicht Anstoß an seiner Redeweise, die sich mitunter in langen Ausführungen, aber doch viel, viel lieber noch in einem beständigen Hin und Her erging. Einer seiner Lieblingssätze war: ‚Ich kann es nicht leiden, wenn ein einziges Gericht eine Stunde lang auf dem Tische steht; nur nicht immer dasselbe, mir ist es angenehmer, wenn die Gänge rasch wechseln.‘ Und so sprang er immer vom Hundertsten ins Tausendste.“

„Nun, da müßt ihr euch freilich gefunden haben“, lachte Botho.

„Haben wir auch. Und wir wollen uns Briefe schreiben, ganz in dem Stil, wie wir miteinander gesprochen; das haben wir beim Abschied gleich ausgemacht. Unsere Herren, auch deine Freunde, sind immer so gründlich. Und du bist der gründlichste, was mich mitunter recht bedrückt und ungeduldig macht. Und du mußt mir versprechen, auch so zu sein wie Mr. Armstrong, und ein bißchen mehr einfach und harmlos plaudern zu wollen und ein bißchen rascher und nicht immer dasselbe Thema.“

Botho versprach Besserung, und als Käthe, die die Superlative liebte, nach Vorführung eines phänomenal reichen Amerikaners, eines absolut kakerlakigen Schweden mit Kaninchenaugen und einer faszinierend schö-

nen Spanierin – mit einem Nachmittagsausfluge nach
Limburg, Oranienstein und Nassau geschlossen und
ihrem Gatten abwechselnd die Krypt, die Kadettenanstalt und die Wasserheilanstalt beschrieben hatte, zeigte
sie plötzlich auf die Schloßkuppel nach Charlottenburg 5
und sagte: „Weißt du, Botho, da müssen wir heute noch
hin oder nach Westend oder nach Halensee. Die Berliner Luft ist doch etwas stickig und hat nichts von dem
Atem Gottes, der draußen weht und den die Dichter
mit Recht so preisen. Und wenn man aus der Natur 10
kommt, so wie ich, so hat man das, was ich die Reinheit und Unschuld nennen möchte, wieder liebgewon-
nen. Ach, Botho, welcher Schatz ist doch ein unschuldiges Herz. Ich habe mir fest vorgenommen, mir ein rei-
nes Herz zu bewahren. Und du mußt mir darin helfen. 15
Ja, das mußt du, versprich es mir. Nein, nicht so; du
mußt mir dreimal einen Kuß auf die Stirn geben, bräut-
lich, ich will keine Zärtlichkeit, ich will einen Weihe-
kuß... Und wenn wir uns mit einem Lunch begnügen,
natürlich ein warmes Gericht, so können wir um drei 20
draußen sein."

Und wirklich, sie fuhren hinaus, und wiewohl die
Charlottenburger Luft noch mehr hinter dem „Atem
Gottes" zurückblieb als die Berliner, so war Käthe doch
fest entschlossen, im Schloßpark zu bleiben und Halen- 25
see fallenzulassen. Westend sei so langweilig und Halensee sei noch wieder eine halbe Reise, fast wie nach
Schlangenbad, im Schloßpark aber könne man das
Mausoleum sehen, wo die blaue Beleuchtung einen immer so sonderbar berühre, ja, sie möchte sagen, wie 30
wenn einem ein Stück Himmel in die Seele falle. Das
stimme dann andächtig und zu frommer Betrachtung.
Und wenn auch das Mausoleum nicht wäre, so wäre
doch die Karpfenbrücke da, mit der Klingel dran, und
wenn dann ein großer Mooskarpfen käme, so wär' es 35
ihr immer, als käm' ein Krokodil. Und vielleicht wär'

auch eine Frau mit Kringeln und Oblaten da, von der man etwas kaufen und dadurch im kleinen ein gutes Werk tun könne, sie sage mit Absicht ein „gutes Werk" und vermeide das Wort christlich, denn Frau Salinger habe auch immer gegeben.

Und alles verlief programmäßig und als die Karpfen gefüttert waren, gingen beide weiter in den Park hinein, bis sie bis dicht an das Belvedere kamen mit seinen Rokokofiguren und seinen historischen Erinnerungen. Von diesen Erinnerungen wußte Käthe nichts, und Botho nahm deshalb Veranlassung, ihr von den Geistern abgeschiedener Kaiser und Kurfürsten zu erzählen, die der General von Bischofswerder an eben dieser Stelle habe erscheinen lassen, um den König Friedrich Wilhelm II. aus seinen lethargischen Zuständen oder, was dasselbe gewesen, aus den Händen seiner Geliebten zu befreien und ihn auf den Pfad der Tugend zurückzuführen.

„Und hat es geholfen?" fragte Käthe.

„Nein."

„Schade. Dergleichen berührt mich immer tief schmerzlich. Und wenn ich mir dann denke, daß der unglückliche Fürst (denn unglücklich muß er gewesen sein) der Schwiegervater der Königin Luise war, so blutet mir das Herz. Wie muß sie gelitten haben! Ich kann mir immer in unserem Preußen solche Dinge gar nicht recht denken. Und Bischofswerder, sagtest du, hieß der General, der die Geister erscheinen ließ?"

„Ja. Bei Hofe hieß er der Laubfrosch."

„Weil er das Wetter machte?"

„Nein, weil er einen grünen Rock trug."

„Ach, das ist zu komisch... Der Laubfrosch."

Bei Sonnenuntergang waren beide wieder daheim und Käthe, nachdem sie Hut und Mantel an Minette gegeben und den Tee beordert hatte, folgte Botho in sein Zimmer, weil es sie nach dem Bewußtsein und der Genugtuung verlangte, den ersten Tag nach der Reise ganz und gar an seiner Seite zugebracht zu haben.

Botho war es zufrieden, und weil sie fröstelte, schob er ihr ein Kissen unter die Füße, während er sie zugleich mit einem Plaid zudeckte. Bald danach aber wurd' er abgerufen, um Dienstliches, das der Erledigung bedurfte, rasch abzumachen.

Minuten vergingen und da Kissen und Plaid nicht recht helfen und die gewünschte Wärme nicht geben wollten, so zog Käthe die Klingel und sagte dem eintretenden Diener, daß er ein paar Stücke Holz bringen solle; sie friere so.

Zugleich erhob sie sich, um den Kaminschirm beiseite zu schieben, und sah, als dies geschehen war, das Häuflein Asche, das noch auf der Eisenplatte lag.

Im selben Momente trat Botho wieder ein und erschrak bei dem Anblick, der sich ihm bot. Aber er beruhigte sich sogleich wieder, als Käthe mit dem Zeigefinger auf die Asche wies und in ihrem scherzhaftesten Tone sagte: „Was bedeutet das, Botho? Sieh, da hab ich dich mal wieder ertappt. Nun bekenne. Liebesbriefe? Ja oder nein?"

„Du wirst doch glauben, was du willst."

„Ja oder nein?"

„Gut denn; ja."

„D a s war recht. Nun kann ich mich beruhigen. Liebesbriefe, zu komisch. Aber wir wollen sie doch lieber zweimal verbrennen; erst zu Asche und dann zu Rauch. Vielleicht glückt es."

Und sie legte die Holzstücke, die der Diener mittlerweile gebracht hatte, geschickt zusammen und versuchte

sie mit ein paar Zündhölzchen anzuzünden. Und es
gelang auch. Im Nu brannte das Feuer hell auf und
während sie den Fauteuil an die Flamme schob und
die Füße bequem und, um sie zu wärmen, bis an die
5 Eisenstäbe vorstreckte, sagte sie: „Und nun will ich dir
auch die Geschichte von der Russin auszerzählen, die natürlich gar keine Russin war. Aber eine sehr kluge
Person. Sie hatte Mandelaugen, alle diese Personen haben Mandelaugen, und gab vor, daß sie zur Kur in
10 Schlangenbad sei. Nun, das kennt man. Einen Arzt
hatte sie nicht, wenigstens keinen ordentlichen, aber jeden Tag war sie drüben in Frankfurt oder in Wiesbaden oder auch in Darmstadt und immer in Begleitung.
Und einige sagen sogar, es sei nicht mal derselbe gewe-
15 sen. Und nun hättest du sehen sollen, welche Toilette
und welche Suffisance! Kaum, daß sie grüßte, wenn sie
mit ihrer Ehrendame zur Table d'hote kam. Denn eine
Ehrendame hatte sie, das ist immer das erste bei solchen Damen. Und wir nannten sie ‚die Pompadour‘,
20 ich meine die Russin, und sie wußt' es auch, daß wir sie
so nannten. Und die alte Generalin Wedell, die ganz
auf unsrer Seite stand und sich über die zweifelhafte
Person ärgerte (denn eine Person war es, darüber war
kein Zweifel), die alte Wedell, sag ich, sagte ganz laut
25 über den Tisch hin: ‚Ja, meine Damen, die Mode wech-
selt in allem, auch in den Taschen und Täschchen und
sogar in den Beuteln und Beutelchen. Als ich noch jung
war, gab es noch Pompadours, aber heute gibt es keine
Pompadours mehr. Nicht wahr? Es gibt keine Pompa-
30 dours mehr?‘ Und dabei lachten wir und sahen alle
die Pompadour an. Aber die schreckliche Person gewann trotzdem einen Sieg über uns und sagte mit lauter und scharfer Stimme, denn die alte Wedell hörte
schlecht: ‚Ja, Frau Generalin, es ist so, wie Sie sagen.
35 Nur sonderbar, als die Pompadours abgelöst wurden,
kamen die Reticules an die Reihe, die man dann später die Ridicules nannte. Und solche Ridicules gibt es

noch.' Und dabei sah sie die gute alte Wedell an, die, weil sie nicht antworten konnte, vom Tische aufstand und den Saal verließ. Und nun frag ich dich, was sagst du dazu? Was sagst du zu solcher Impertinenz?...Aber Botho, du sprichst ja nicht, du hörst ja gar nicht..."

„Doch, doch, Käthe..."

Drei Wochen später war eine Trauung in der Jakobi-kirche, deren kreuzgangartiger Vorhof auch heute von einer dichten und neugierigen Menschenmenge, meist Arbeiterfrauen, einige mit ihren Kindern auf dem Arm, besetzt war. Aber auch Schul- und Straßenjugend hatte sich eingefunden. Allerlei Kutschen fuhren vor, und gleich aus einer der ersten stieg ein Paar, das, solang es im Gesichtskreise der Anwesenden verblieb, mit Lachen und Getuschel begleitet wurde.

„Die Taille", sagte eine der zunächst stehenden Frauen.

„Taille?"

„Na denn Hüfte."

„Schon mehr Walfischrippe."

„Das stimmt."

Und kein Zweifel, daß sich dies Gespräch noch fort-gesetzt hätte, wenn nicht eben in diesem Augenblicke die Brautkutsche vorgefahren wäre. Der vom Bock her-abspringende Diener eilte, den Kutschenschlag zu öff-nen, aber der Bräutigam selbst, ein hagerer Herr mit hohem Hut und spitzen Vatermördern, war ihm be-reits zuvorgekommen und reichte seiner Braut die Hand, einem sehr hübschen Mädchen, das übrigens, wie ge-wöhnlich bei Bräuten, weniger um seines hübschen Aussehens als um seines weißen Atlaskleides willen be-wundert wurde. Dann stiegen beide die mit einem et-was abgetretenen Teppich belegte, nur wenig Stufen zählende Steintreppe hinauf, um zunächst in den Kreuz-gang und gleich danach in das Kirchenportal einzutre-ten. Aller Blicke folgten ihnen.

„Un kein Kranz nich?" sagte dieselbe Frau, vor deren kritischem Auge kurz vorher die Taille der Frau Dörr so schlecht bestanden hatte.

„Kranz?... Kranz?... Wissen Sie denn nich?... Haben Sie denn nichts munkeln hören?"

„Ach so. Freilich hab ich. Aber, liebe Kornatzki, wenn es nach's Munkeln ginge, gäb' es gar keine Kränze mehr un Schmidt in der Friedrichstraße könnte man gleich zumachen."

„Ja, ja", lachte jetzt die Kornatzki, „das könnt' er. Un am Ende für so 'nen Alten! Fuffzig jute hat er doch woll auf'n Puckel un sah eigentlich aus, als ob er seine silberne gleich mitfeiern wollte."

„Woll. So sah er aus. Un haben Sie denn seine Vatermörder gesehn? So was lebt nich."

„Damit kann er sie gleich dod machen, wenn's wieder munkelt."

„Ja, das kann er."

Und so ging es noch eine Weile weiter, während aus der Kirche schon das Präludium der Orgel hörbar wurde.

Den anderen Morgen saßen Rienäcker und Käthe beim Frühstück, diesmal in Bothos Arbeitszimmer, dessen beide Fenster, um Luft und Licht einzulassen, weit offenstanden. Rings um den Hof her nistende Schwalben flogen zwitschernd vorüber und Botho, der ihnen allmorgendlich einige Krumen hinzustreuen pflegte, griff eben wieder zu gleichem Zweck nach dem Frühstückskorb, als ihm das ausgelassene Lachen seiner seit fünf Minuten schon in ihre Lieblingszeitung vertieften jungen Frau Veranlassung gab, den Korb wieder hinzustellen.

„Nun, Käthe, was ist? Du scheinst ja was ganz besonders Nettes gefunden zu haben."

„Hab ich auch... Es ist doch zu komisch, was es für Namen gibt! Und immer gerade bei Heirats- und Verlobungsanzeigen. Höre doch nur."

„Ich bin ganz Ohr."

„...Ihre heute vollzogene eheliche Verbindung zeigen ergebenst an: Gideon Franke, Fabrikmeister, Magdalene Franke, geb. Nimptsch...Nimptsch. Kannst du dir was Komischeres denken? Und dann Gideon!" 5

Botho nahm das Blatt, aber freilich nur, weil er seine Verlegenheit dahinter verbergen wollte. Dann gab er es ihr zurück und sagte mit so viel Leichtigkeit im Ton, als er aufbringen konnte: „Was hast du nur gegen Gideon, Käthe? Gideon ist besser als Botho." 10

ANMERKUNGEN

3,3 *»Zoologischen«:* der Zoologische Garten, 1844 als erster Zoo Deutschlands eröffnet, lag noch in den 1870er Jahren an Berlins Peripherie.

3,23 *trotzdem:* bei Fontane häufig statt *obwohl.*

3,31 *die Woche nach Pfingsten:* Die Handlung des Romans spielt zwischen Pfingsten 1875 und Juli/August 1878. Zur Datierung vgl. 96,17 und 125,29.

4,11 *Wrasen:* (nordd.) Dampf, Dunst.

4,12 *Tülle:* (nordd.) Ausguß einer Kanne.

5,3 *Hutsche:* Fußbank.

5,23 *man bloß:* (mundartl.) nur.

5,35 *die Matthäikirche un bei Büchseln:* Karl Büchsel (1803 bis 1889), Generalsuperintendent und Pfarrer an der im Tiergarten-viertel gelegenen Matthäikirche.

7,26 *Remise:* (frz.) Einstellraum.

8,16 f. *Estraden:* (frz.) stufenartig erhöhte Plätze.

8,26 *Hühnerpassion:* Passion: Liebhaberei, Leidenschaft.

8,33 *Porree:* Lauch.

8,34 *der richtige Berliner:* nach Erscheinen von Hans Meyers *Der richtige Berliner in Wörtern und Redensarten* (Berlin 1878) eine stehende Wendung.

8,35 *eine Weiße:* Berliner Weißbier aus Weizen- und etwas Gersten-malz gebraut, stark kohlensäurehaltig, alkoholarm.
Gilka: Berliner Kümmelschnaps, nach dem Hersteller benannt.

9,17 *Pocke:* Warze, Narbe.

9,21 *was Borsdorfriges:* Der Borsdorfer ist eine Apfelsorte mit klei-nen braunen Warzen.

9,23 *Signalement:* (frz.) kurze Personenbeschreibung.

9,27 *Physiognomie:* äußere Erscheinung, Gesichtsausdruck.

11,1 *Windbüchse:* Luftgewehr.

11,11 *Coup:* (frz.) erfolgreicher Streich.

11,14 *Courage:* (frz.) Tapferkeit, Mut.

12,1 *Grieben:* ausgebratene Speckwürfel.

12,1 f. *Hundefett:* galt im Volksgebrauch als wirksames Heilmittel gegen Gicht und Rheuma.

12,7 *Hat's denn gefleckt?:* (ugs.) Hat es denn gelohnt?

12,19 *Husche:* (mundartl.) Regenguß.

12,26 *Murks:* Mißwuchs, schlechtgewachsenes Zeug.

13,3 *Friesrock:* Fries: gerauhtes, grobfädiges Gewebe.

13,12 *plätten:* bügeln.

13,24 *Schirmstellage:* Stellage: Gestell.

14,18 *rapschen:* (ugs.) raffen, zusammenraffen.

14,24 *Verbringerei:* Prasserei, Verschwendung.

14,30 *Schlag:* Schlaganfall.

15,20 *Stralau:* beliebtes Ausflugsziel an der Spree.

15,31 *schunkelt:* (mundartl.) schaukelt.

16,8 *Treptow:* damals Ausflugsort bei Berlin.

16,30 *bei Tübbeckes:* Wirtshaus in Alt-Stralau.

17,19 *Kanal:* der Landwehrkanal.

18,27 *Botho:* alter Vorname, Nebenform von *Bodo,* zu Beginn des 19. Jh.s durch die romantische Ritterdichtung wieder in Mode gekommen.

18,37 *drippen:* (mundartl.) tropfen.

20,13 *Knallerballer:* (ugs.) schlechter Rauchtabak.

20,16 *Wahrsprüche:* Strafurteil, Spruch der Geschworenen.

20,26 *Ranunkeln:* gelbblühendes Wiesenunkraut.

21,16–23 *in Berlin ... Waschfrau:* Anspielung auf Adelbert von Chamissos (1781–1838) Gedicht »Die alte Waschfrau« (1833).

21,24 *simperte:* (mundartl.) redete einfältig vor sich hin.

24,9 *Komtesse:* unverheiratete Gräfin.

Flora: Vergnügungs- und Konzertlokal.

24,15 f. *Sächsische Schweiz:* populärer Name für das zwischen Erzgebirge und Lausitz gelegene Elbsandsteingebirge, mit Ort und Festung »Königstein« und dem 200 m über dem tiefeingeschnittenen Flußlauf der Elbe gelegenen Aussichtspunkt »Bastei«.

24,27 f. *Großen Garten, Zwinger, Grünes Gewölbe:* Der Große Garten, 1678 als Fasanengehege angelegt, war lange Zeit kurfürstlicher und wurde erst spät ein öffentlicher Naturpark. Der Zwinger enthielt um 1874 eine Reihe künstlerischer und naturwissenschaftlicher Sammlungen, darunter die berühmte Gemäldegalerie und das Kupferstichkabinett. Das Grüne Gewölbe mit seinen kunsthandwerklichen Schätzen befand sich im königlichen Schloß.

24,29 f. *Kanne mit den törichten Jungfrauen ... Kirschkern:* beides im Grünen Gewölbe.

25,28 *Schlößchen Tegel:* von Karl Friedrich Schinkel (1781–1841) in klassizistischem Stil umgebautes Landhaus der Familie Humboldt am Nordufer des Tegeler Sees.

25,28 *Saatwinkel:* idyllisches Ausflugsziel am Tegeler See.

25,28 f. *Valentinswerder:* Ausflugsinsel im Tegeler See.

25,29 f. *Stadtbahn:* Die 15,5 km lange Stadtbahn zwischen den Bahnhöfen Westkreuz und Ostkreuz war erst 1882 eröffnet. Die Ringbahn wird seit 1871 betrieben.

25,30 *Panke:* Nebenfluß der Spree, der im Zuge der Ausbreitung Berlins immer mehr zu einem Abwässerkanal wurde.

25,37 *Toiletten:* hier: festliche Kleider. Vgl. 179,15.

26,6 *Pitt:* vgl. Anm. zu 62,2.

26,6 f. *Graditzer Rappstute:* aus dem staatlich-preußischen Gestüt bei Torgau.

26,10 f. *Der Kronprinz . . . Viktoria:* Friedrich Wilhelm von Preußen (1831–88), der spätere Kaiser Friedrich III., war seit 1858 verheiratet mit Viktoria (1840–1901), einer Tochter der Königin Viktoria von England.

26,14 *Konzert:* im Konzertgarten des Zoologischen Gartens.

26,17 *Contre . . . Française:* französische Tänze.

26,31 *»En avant deux, Pas de basque«:* (frz.) »zwei Schritte vor, baskischer Schritt«; Tanzanweisung für den ⅚-Takt.

27,14 *mir schuddert:* mich schaudert, fröstelt.

29,16 f. *Levkojen und Reseda:* angenehm duftende Zierpflanzen.

29,18 *Thymianbeete:* Thymian: Gewürz- und Heilpflanze mit duftenden Blüten.

31,20 f. *Elefantenhause:* im Zoologischen Garten.

33,36 *Lästerallee:* Promenade des Zoologischen Gartens, an der die ›Lästerer‹ saßen und die Promenierenden glossierten.

34,28 f. *Hertelsche Stilleben:* Albert Hertel (1843–1912), Berliner Landschaftsmaler.

34,30 *Rubens:* Peter Paul R. (1577–1640), flämischer Maler.

34,30 f. *ein Andreas Achenbachscher Seesturm:* Andreas Achenbach (1815–1910), Landschaftsmaler.

35,10 f. *Malachittischchen:* Malachit: ein grünes Mineral, zu Einlegearbeiten bei Tischplatten verwendet.

35,15 *Schnack:* (nordd.) Unterhaltung, Plauderei.

36,3 *Renz:* der 1846 von Ernst Jakob R. (1815–92) gegründete Zirkus.

36,4 *Kroll:* Konzerthaus und Theater im Tiergarten.

36,4 f. *das eine . . . lassen:* Redewendung nach Mt. 23,23.

36,18 *Hiller:* damals das modernste Weinrestaurant in Berlin.

36,22 *Borchardt:* damals vornehmes Weinlokal.

36,28 *Billett:* (frz.) Briefchen.

37,5 *Korso:* (ital.) Festzug blumengeschmückter Wagen.

37,37 *Crayon:* (frz.) Bleistift.

38,2 *Kalligraphisch:* Schön geschrieben.
orthographisch: richtig geschrieben.

38,3 *Stiehl:* Ferdinand S. (1812–78), Verfasser der »Regulative« für den Volksschulunterricht.

39,11 *das Tor:* das Potsdamer Tor.

39,12 f. *Camera-obscura-Glase:* die Mattscheibe der Camera obscura, auf der ein umgekehrtes Bild erscheint.

39,15 *eine der besten Welten:* Anspielung auf die These des Philosophen Gottfried Wilhelm Leibniz (1646–1716), daß die Welt »die beste aller möglichen Welten« sei.

39,22 *Lepke:* bekannte Berliner Kunsthandlung.

39,22 f. *Oswald Achenbachs:* Oswald Achenbach (1827–1905), Bruder von Andreas A. (vgl. Anm. zu 34,30 f.), Landschaftsmaler.

39,23 f. *palermitanische:* Palermo: Hauptstadt Siziliens.

39,25 *frappierenden:* auffallenden, beeindruckenden.

40,4 f. *Wolfschen Löwengruppe:* die Bronzegruppe »Die sterbende Löwin« von Friedrich Wilhelm Wolff (1816–87).

40,9 *Garde-Dragonern:* Dragoner: berittener Soldat (vgl. Anm. zu 130,3).

41,11 *Tischdefilee:* Defilee: parademäßiger Vorbeimarsch.

41,16 *Kabinetts:* kleine Zimmer.

41,21 *Kuvert:* hier: Tischgedeck.

41,21 f. *Pallasch:* Degen der Kürassiere (vgl. Anm. zu 130,3).

42,14 *Cliquot:* Veuve Cliquot: französischer Champagner.

42,17 *Scheffel:* altes Hohlmaß.

42,25 f. *Dobeneck:* Freiherr Ferdinand D. (1791–1867), preußischer Generalleutnant.

42,30 *Anno 13 und 14:* Zeit der Befreiungskriege 1813–14.

42,35 *Manteuffel:* Edwin Hans Karl Freiherr von M. (1809–85), preußischer Generalfeldmarschall.

43,5 *Kongestionen:* Blutandrang.

43,11 f. *ein gewisser Kürassieroffizier:* Anspielung auf Bismarck (1815–98).

43,16 f. *St. Privat ... Sedan:* Schlachtorte im Deutsch-Französischen Krieg von 1870/71.

43,17 *den großen Zirkel gezogen:* die Einkreisung der französischen Truppen bei Sedan erzwang die Kapitulation.

43,20 *Meding:* Freiherr August Friedrich Wilhelm von M. (1792 bis 1871), Oberpräsident der Provinz Brandenburg, wo Bismarck 1837/38 Referendar der Provinzialregierung war.

43,21 f. *nichts gelernt als Depeschen schreiben* Anspielung auf die
von Bismarck in provokativer Absicht redigierte Depesche über
die Vorgänge in Bad Ems, aus denen sich der Deutsch-Französi-
sche Krieg entwickelte.

43,24 *Auerfuchser:* verächtlich für: Büroschreiber.

43,25 *Fehrbellin:* Hier siegte 1675 Kurfürst Friedrich Wilhelm, der
»Große Kurfürst« (1620–88), über die Schweden.

43,26 *Leuthen:* Sieg der preußischen Armee 1757 unter Friedrich II.,
dem Großen (1712–86), über die Österreicher zu Beginn des Siebenjährigen Krieges.

43,27 *Blücher:* Gebhardt Leberecht B., Fürst von Wahlstatt (1742
bis 1819), preußischer Feldmarschall.
York: Johann David Ludwig Graf Y. von Wartenburg (1759 bis
1830), preußischer Feldmarschall.

43,34 *Kreuzzeitung:* Die nach dem Eisernen Kreuz, ihrem Titel-
emblem, benannte *Neue Preußische Zeitung*, das Organ der evan-
gelischen Hochkonservativen, geriet mit der Regierung häufig in
Konflikt, vgl. die Anm. zu 101,21.

43,35 *Sottisen:* Beleidigungen, Grobheiten.

44,17 *Solchen Mann ... aus unsrer besten Familie:* Der Bismarck-
Gegner Graf Harry von Arnim (1824–81), seit 1872 Botschafter
in Frankreich, wurde 1874 abberufen und wegen angeblicher Unterschlagung von Staatsdokumenten verurteilt.

44,19 *Hohenzollerntum:* Hohenzollern: Familie der preußischen
Könige (1701–1918) sowie der deutschen Kaiser (1871–1918).

44,21 *Boitzenburger:* vermutlich Friedrich Adolf Graf von Arnim-
Boitzenburg (1832–87), Führer der Konservativen; 1880/81 Präsi-
dent des deutschen Reichstags.

45,3 *Macht gehe vor Recht:* Anspielung auf ein irrtümlich Bismarck
zugeschriebenes politisches Schlagwort.

45,4 *Appell:* hier: Einspruch, Berufung.

45,16 f. *nur der Reine darf alles:* vgl. Spr. 21,8 und Ps. 73,1.

46,27 f. *zedieren:* (frz.) abtreten.

46,34 f. *Muränensee:* Gemeint sind Maränen, eine Lachsart.

47,5 *L'hombre:* (frz.) Kartenspiel.

47,7 *parzelliert:* aufgeteilt.

47,25 *Garçonschaft:* (frz.) Junggesellenschaft, vgl. 158,15.

47,27 *Bourgeoise:* (frz.) Bürgermädchen.

47,31 *Heidsieck:* berühmter französischer Champagner.

48,3 *Gardes du Corps:* (frz.) Leibgarden; in Potsdam stationiertes
Kavallerieregiment.

48,4 *Pasewalkern:* in Pasewalk (Pommern) stationierte Kürassiere.

48,9 *Pikett:* Kartenspiel.

48,29 *Error in calculo:* (lat.) Irrtum in der Rechnung.

48,30 *Gichtelianer:* Die Anhänger des Mystikers Johann Georg Gichtel (1638–1710) lebten ehelos.

49,3 *Moltke:* Helmuth Graf von M. (1800–91), 1871–88 Chef des deutschen Generalstabs.

49,7 *Humboldt:* Alexander von H. (1769–1859), Naturforscher und Forschungsreisender.
Ranke: Leopold von R. (1795–1886), der führende deutsche Historiker des 19. Jh.s.

49,12 *Boulekegel:* Poulekegel, die bei einer Spielart des Billard, dem Kegelbillard, gebraucht werden.

49,17 *Whist:* englisches Kartenspiel.

49,30 *Points:* Punkte beim Kartenspiel.

49,34 *Remontoiruhr:* Taschenuhr, die mittels ›Krone‹ aufgezogen wird.

50,5 *brüskiert:* hier: herausfordert.

50,21 *lawn:* (engl.) Rasen.

50,22 *en vue:* (frz.) vor Augen, vor uns.

50,24 *Fürst Pückler:* Hermann Ludwig Heinrich Fürst von Pückler-Muskau (1785–1871), bekannter Reiseschriftsteller und Schöpfer berühmter Parkanlagen.

50,30 *Puttkamers:* Bismarcks Frau Johanna war eine geborene Puttkamer.

50,37 *recte:* (lat.) gerade, geradewegs.

51,6 *Bon-Garçon:* (frz.) guter Kerl.

51,10 *Tant mieux:* (frz.) um so besser.

51,18 f. *er hat 9000 jährlich und gibt 12 000 aus:* Lene dagegen dürfte als Plätterin und Stickerin (vgl. 112,4–7) wie eine Näherin der Hausindustrie wöchentlich etwa 5–10 Mark verdient haben (vgl. August Bebel, *Die Frau und der Sozialismus*, Stuttgart, Berlin 1922, S. 227 f.).

52,13 *Wocken:* (niederd.) Spinnrocken, Holzstock, um den die Fasern zum Verspinnen geschlungen sind.

52,22 *Balafré:* vgl. frz. *balafre* ›Schmarre, Schmiss‹.

52,24 *Weißzeugdame:* näht Tisch-, Bett- und Leibwäsche.
zur weißen Dame: Anspielung auf die damals vielgespielte Oper *Die weiße Dame* von François-Adrien Boieldieu (1775–1834), in der ein Graf die Ziehtochter des Schloßverwalters heiratet, die als ›weiße Dame‹ verkleidet den Besitz des Grafen rettet.

52,25 *Schloß Avenel:* der Schauplatz in R ...dieus Oper.

55,29 *Poggen:* (niederd.) Fröscha

56,3 f. *Adebar* .., (n rd.) Anspielung auf den Neckreim: »Adebar, du guten bring mir einen Bruder, Adebar, du bester, bring mir ein Schwester.« Adebar: Storch.

56,26 *Peden:* (ostmitteld.) Quecken oder Läusekraut.

56,29 *Werft:* (ostnicderd.) Bezeichnung für die Salweide.

56,32 *Kegelbahntabagie:* Gaststätte mit Kegelbahn, in der geraucht werden durfte.

57,19 f. *Sandhase:* Fehlwurf beim Kegeln.

57,32 f. *essen . . . ein Vielliebchen:* Zwei Personen essen gemeinsam eine Zwillingsfrucht, wobei sie um ein kleines Geschenk wetten, wer am nächsten Tag zuerst den anderen »Vielliebchen« nennt.

58,9 *abgeäschert:* ermüdet, abgearbeitet.

59,4 f. *Morgenrot . . . Grab:* »Reiters Morgengesang« (1824) von Wilhelm Hauff (1802–27): »Morgenrot, Morgenrot, leuchtest mir zum frühen Tod«, endet mit: »Morgen in das kühle Grab.«

59,6 f. *Übers Jahr, übers Jahr:* Anfang der dritten Strophe des Volksliedes: »Muß i denn, muß i denn . . .«

59,7 *Denkst du daran:* Duett aus dem Singspiel *Der alte Feldherr* von Karl von Holtei (1798–1880).

61,3 *Küchenschapp:* (niederd.) Küchenschrank.

61,14 *Traktätchen:* religiöse Flugschriften

62,2 *Pitt:* vermutlich der jüngere William P. (1759–1806), der zweimal britischer Premierminister war.

62,13 *Der Mann mit der eisernen Maske:* vermutlich Anspielung auf das Trauerspiel »Die eiserne Larve« (1804) von Heinrich Zschokke (1771-1848).

62,36 *Immortellen:* Katzenpfötchen, Strohblumen und andere nicht welkende Blütenpflanzen (von frz. *immortel* ›unsterblich‹).

65,24 f. *Frkner, Kranichberge, Schwilow, Baumgartenbrück:* beliebte Ausflugsziele in der Umgebung Berlins.

65,27 *»Hankels Ablage«:* Anlegestelle und Ausflugsort am Westufer des Zeuthener Sees.

66,34 f. *»Etablissement«:* größere, elegante Gastwirtschaft, Vergnügungsstätte; auch: Fabrikanlage, Betrieb (vgl. 102,13).

67,4 f. *Renommee:* Ruf, Ansehen.

67,34 *Spree:* die sogen. »Wendische Spree«, die Dahme.

68,29 *galanter:* höflicher, ritterlicher, rücksichtsvoller.

69,15 *Plaid:* (engl.) Umhang, Mantel, Reisedecke.

69,24 f. *kalfatert:* kalfatern: hölzerne Schiffswände abdichten.

70,18 *mit Kienäpfeln:* mit Kiefernzapfen.

71,10 *Ehrenpreis:* Rachenblütler, auch Männertreu genannt.

71,13 *Teufelsabbiß:* Karde, alte Heil- und Zauberpflanze.

73,14 *Melissentee:* Melisse: Lippenblütler, auch Zitronenkraut genannt.

74,5 *Wendin:* Angehörige eines westslawischen Stammes.

74,10 *superbe:* (frz.) ausgezeichnet.

74,27 f. *Dominium:* Domäne, Staatsgut.

74,28 *dem Alten Fritzen:* Friedrich II., der Große (1712–86), seit 1740 König von Preußen.

74,29 *Soldatenkönige:* Friedrich Wilhelm I. (1688–1740), Vater Friedrichs II., Gründer des preußischen Heeres.

76,6 *Okuli, da kommen sie:* Jägerspruch; etwa an Okuli, dem 4. Sonntag vor Ostern, kehren die Schnepfen zurück.

76,15 *Boccia:* italienisches Kugelspiel.

76,19 *abschülbert:* schülbern: (berlin.) sich häuten.

77,20 *Heidelberger Faß:* gebaut 1751, steht im Keller des Heidelberger Schlosses und faßt 221726 Liter.

78,8 *Bataillen:* Schlachten, hier: Schlägereien.

79,12 *Auktion:* Versteigerung.

79,29 *»Washington . . . Delaware«:* (engl.) »Washington beim Übergang über den Delaware«, Gemälde des deutsch-amerikanischen Historienmalers Emanuel Leutze (1816–68). Das Bild war, ebenso wie die zwei anderen (79,30 und 80,4 f.) in billigen Lithographien weit verbreitet.

79,30 *»The last . . . Trafalgar«:* Das Gemälde des Historienmalers Benjamin West (1738–1820) zeigt den Tod Lord Nelsons in der Seeschlacht bei Trafalgar.

80,1 f. *Rokokotisch:* zierlicher, spielerischer Kunststil (18. Jh.).

80,4 f. *»Si jeunesse savait«:* (frz.) »Wenn die Jugend wüßte«.

83,5 *Prahm:* Transportboot mit geringem Tiefgang.

84,36 *Ah les beaux esprits se rencontrent:* (frz.) Ah, die schönen Geister treffen sich; hier: man ist auf den gleichen Gedanken gekommen.

85,5 f. *Isabeau . . . Johanna . . . Margot:* Gestalten aus Schillers *Die Jungfrau von Orleans* (1801).

85,7 *Parole:* Erkennungswort, Losung; hier: Sprache.

85,10 *Agnes Sorel:* die Geliebte Karls VII.

85,30 *wohlarrondierte:* (frz.) wohlgerundete, rundliche.

86,4 f. *proponiere:* proponieren: vorschlagen.

86,10 *Pätscheln:* Rudern.

86,11 *Ykleis:* Ukelei, karpfenartiger Weißfisch.

86,16 *Dezidiertheit:* Entschiedenheit.

86,27 *Jeu:* (frz.) Spiel.

86,34 *Reunion:* (frz.) Wiedervereinigung, Treffen.

86,35 f. *Ja, Königin . . . schön:* nach Schillers *Don Carlos* (IV,21).

87,17 *Kortege:* (frz.) Gefolge.

87,37 *Köllnischen:* Cölln: an der Spree, Alt-Berlin gegenüber.

88,22 *Moët oder Mumm:* französische Sektmarken.

88,23 f. *Apropos:* (frz.) übrigens, nebenbei bemerkt.

88,32 *Waldlisière:* (frz.) Waldrand, -grenze.

90,1 f. *partout:* (frz.) durchaus, unbedingt.

91,18 *Dest'lation:* Destillation, hier: Schnapsschenke.

91,19 *Wittmann:* Witwer.

91,28 *Kladderadatsch:* Geklirr, Krach, Skandal. Titel einer politisch-satirischen Zeitschrift.

93,17 f. *Zitronenvögel:* Zitronenfalter (Schmetterling).

94,10 *Droschke:* Mietkutsche.

95,25 *Meerschaum:* aus weichem Mineral geschnittene Pfeife.

96,2 f. *Die Türken sind die klügsten Leute:* Anspielung auf die Schicksalsgläubigkeit (Kismet) des Islam. Vgl. 105,31.

97,7 *Gentilezza:* (ital.) Großmut, feiner Anstand.

97,27 *perhorreszierst:* verabscheust.

98,10 f. *Sibyllinischer Bücher:* Nach der römischen Sage bot die Sibylle von Cumae König Tarquinius Priscus neun Bücher mit Orakelsprüchen zum Kauf an. Als dieser den Preis zu hoch fand, verbrannte sie drei und verdoppelte den Preis. Als der König wiederum ablehnte, verbrannte sie weitere drei Bücher und erhöhte den Preis auf das Doppelte – und der König kaufte.

99,19 *Croupier:* Gehilfe des Spielbankhalters.

99,20 *Troupier:* Berufssoldat.

99,22 *Tochter des Regiments:* Anspielung auf die Komische Oper *La Fille du Régiment* (1840) von Gaetano Donizetti (1797–1848), deren Heldin als Findelkind bei einem Regiment großgeworden, sich in der adligen Welt ihrer Mutter nicht einleben kann.

99,31 f. *Moabiter Brücke:* Spreebrücke nördlich des Englischen Gartens (Teil des Tiergartens).

99,33 *Fenn:* Moorland.

Jungfernheide: damals noch Truppenübungsplatz der Berliner Garnison, zwischen Tegeler See und Moabit.

101,2 *Donquichotterien:* idealistisch verstiegene Narreteien; nach dem Roman *Don Quijote* von Cervantes (1547–1616).

101,11 *Tournüre:* gewandte Haltung.
    Savoir-faire: (frz.) Geschicklichkeit in Geschäften.
101,21 *v. Hinckeldey:* Ludwig von H. (1805–56), seit 1848 Polizei-
    präsident von Berlin; 1856 bei einem Duell in der Jungfernheide
    erschossen.
102,1 *Nörner:* Staatsanwalt, der auf Befehl des Königs in dem Streit
    der Duellanten vermitteln sollte.
102,3 *Standesmarotte:* Marotte: Schrulle, wunderliche Neigung.
102,13 *Etablissement:* Borsigs Maschinenbau-Anstalt. Vgl. Anm. zu
    66,34 f.
103,6 *Zelten:* In den Zelten: Vergnügungszentrum im Tiergarten.
103,7 f. *Wrangel-Brunnen:* auf dem Kemperplatz, am südlichen
    Ende der Siegesallee.
108,14 *Dependenzien:* (frz.) Nebengebäude.
109,7 *Esprit:* (frz.) Geist, geistvolle Witzigkeit.
109,27 f. *Holbeinscher Madonna:* »Madonna des Bürgermeisters
    Meyer« von Hans Holbein dem Jüngeren (1497–1543) im Dresd-
    ner Zwinger (vgl. Anm. zu 24,27 f.).
110,8 ›*Monsieur Herkules*‹: vielgespielte Posse von Georg Belly
    (1836–75).
    Knaak: Wilhelm K. (1829–94), beliebter Wiener Komiker.
110,13–15 *Bacchus … Vischer:* Beide Arbeiten gehören zu den
    kunsthandwerklichen Merkwürdigkeiten im Grünen Gewölbe
    (vgl. Anm. zu 24,27 f.). Peter Vischer d. Ä. (um 1460–1529),
    Nürnberger Bildhauer und Erzgießer.
111,1 *Landgrafenstraße:* Wohnstraße des Adels, Tiergartenviertel.
111,17 *ein Schindelturm:* das Holztürmchen des Dörrschen »Schlos-
    ses« (vgl. 3,13).
111,29 *en famille:* (frz.) im Familienkreis.
112,6 f. *Waldeckschen Prinzessin:* eine Tochter des Fürsten von
    Waldeck-Pyrmont.
113,13 *Trottoir:* (frz.) Bürgersteig.
113,18 f. *Stearinlichten:* Kerzen aus Stearin.
113,19 *Mixed-Pickles-Flaschen:* Mixed Pickles: (engl.) in Essig ein-
    gemachtes Mischgemüse.
114,5 *Kanal … Querstraße:* Landwehrkanal; Dörnbergstraße.
114,12 f. *halbwachsenes:* halberwachsenes.
114,13 *Grabscheit:* (mundartl.) Spaten, Schaufel.
114,29 *Kajütenschornsteinen:* Kajüte: Wohnraum an Bord.
114,33 *die große Schleuse:* die Charlottenburger Schleuse, vor dem
    Eintritt des Landwehrkanals in die Spree.

115,15 *Goldlack:* Kreuzblütler mit wohlriechenden, hellgelben bis dunkelbraunen Blüten.

115,15 f. *Jelängerjelieber:* Kletterstrauch mit stark duftenden Blüten.

115,36 *heiße Stürze:* Kochtopfdeckel, der erwärmt und eingewickelt wie eine Wärmflasche verwendet wurde.

116,1 *Ziegelstein:* wurde erhitzt und zum Wärmen benutzt.

116,3 *Altration:* Alteration: Aufregung.

116,7 *Rollo:* von frz. *rouleau* ›Rollvorhang‹.

116,7 f. *Kampfer:* aromatische Verbindung aus dem Holz des südostasiatischen Kampferbaumes, Heilmittel.

116,8 *Hoffmannstropfen:* Anregungsmittel bei Schwächezuständen, aus Alkohol und Äther, nach dem Arzt Friedrich Hoffmann (1660–1742) benannt.

118,1 f. *Stolgebühren:* Gebühren für bestimmte kirchliche Handlungen (Taufe, Trauung usw.).

119,7 *da kann es tausend und drei geben:* Anspielung auf das »Mille e tre« der Leporello-Arie in Mozarts *Don Giovanni* (1787).

119,28 *geweimert:* (berlin.) gejammert.

120,24 *da helfen ihm keine Sperenzchen:* Redensart im Sinne von: da hilft kein Sperren und Sträuben. Figtl. *Sperenzien* ›falsche Hoffnungen‹.

120,33 *zum Kattol'sch-Werden:* soviel wie: zum Verrücktwerden.

121,30 *Reißen:* rheumatische Schmerzen.

122,3 *Mesalliancen:* (frz.) Mißheiraten, unebenbürtige Verbindungen.

123,26 *Tod und Leben:* Kartenspiel.
   Dambrett: Damebrett: Spielbrett für das Damespiel.

123,27 *Patience:* (frz.) Kartenspiel.

123,29 *Konventikler:* Angehöriger einer religiösen Sekte.

123,29 f. *Mennoniten:* protestantische Sekte, benannt nach ihrem Gründer Menno Simons (1496–1561).

123,30 *Irvingianer:* nach ihrem Gründer, dem schottischen Erweckungsprediger Edward Irving (1792–1834) benannte Sekte.

124,2 *er steht noch nich drin:* im Adreßbuch.

124,27 f. *die so viele Frauen haben:* Verwechslung der Mennoniten mit den Mormonen, einer die Vielehe erlaubenden Sekte.

125,7 *Metier:* Beruf.

125,13 *reputierlicher:* ehrenwerter, von gutem Ruf.

126,4–6 *Schlangenbader ... Schwalbach:* Schlangenbad und Schwalbach, Heilbäder für Frauenkrankheiten im Taunus.

126,9 *Viper an der Brust:* Anspielung auf Kleopatra, die sich durch Schlangenbiß tötete.

126,16 *shopping:* (engl.) Einkaufen, Bummeln.

126,35 *cercle intime:* (frz.) vertrauter Freundeskreis.

127,3 *Mars-la-Tour:* Kriegsschauplatz im Deutsch-Französischen Krieg von 1870/71.

128,18 *Felix Bachmann:* gemeint ist wohl der seinerzeit berühmte Tenorbariton Edward Bachmann (1831–80).

129,29 *drüben:* in Potsdam.

129,31 *genieren:* beunruhigen, ärgern.
Schraubereien: Neckereien.

130,1 *Oger:* menschenfressender Riese im französischen Märchen.

130,3 *Schwerenkavallerie-Ehre:* Die schwere Kavallerie (Kürassiere, Gardereiter, Karabiniers), die sich nach Pferdeart und Größe von der leichten unterschied, stand in der preußischen Armee in höherem Ansehen als die leichte (Husaren, Chevaulegers) und mittlere Kavallerie (Ulanen, Dragoner, Jäger zu Pferde).

130,5 *Harnisch:* Rüstung, Schutzbekleidung. In Harnisch geraten: wütend, zornig werden.

130,21 *Tort:* (frz.) Unrecht, Schaden, Kränkung.

131,10 *Rembrandthut:* breitkrempiger, modischer Hut.

132,9 *She is rather a little silly:* (engl.) Sie ist eigentlich ein bißchen albern.

135,6 f. *das Porstsche:* wahrscheinlich das in vielen Auflagen herausgegebene Gesangbuch (1708) von Johann Porst (1688–1728).

135,34 *Plumpe:* (ostmd.) Pumpe.

136,6 f. *Fingerhut:* Digitalis-Extrakt, Herzbelebungsmittel.

137,1 *Kamisol:* kurze Jacke.

138,29 f. *Fünfunddreißiger:* das Brandenburgische Füsilier-(= Infanterie-)Regiment Nr. 35.

139,13 *erst unter unserer Herrschaft:* Das Königreich Hannover war erst 1866 an Preußen gelangt.

139,17 *aus welfischem Antagonismus:* Die Anhänger des zugunsten Preußens zum Thronverzicht gezwungenen welfischen Königshauses von Hannover verharrten in Opposition. Vgl. 174,32.

139,23 *bei Scanzoni:* Professor Friedrich Wilhelm Scanzoni von Lichtenfels (1821–91), Gynäkologe.

139,26 *comme il faut:* (frz.) wie es sich gehört. Vgl. 173,36.

139,34 *Kommandantur:* Sitz des Stadtkommandanten, militärische Behörde der Stadt.

140,3 *Equipage:* (frz.) herrschaftliche Kutsche.

142,18 *Vatermörder:* hoher, steifer Halskragen.

142,20 *chevaleresken:* (frz.) ritterlichen, zuvorkommenden.

143,17 f. *Legitimation:* Berechtigung.

144,6 *Treptower Liebesinsel:* an der Ostseite der Stralauer Halb-
insel.

146,18–23 *das sechste ... falsch Zeugnis redet:* vgl. 2. Mose 20.
(6. Du sollst nicht ehebrechen; 7. Du sollst nicht stehlen; 8. Du
sollst nicht falsch Zeugnis reden wider deinen Nächsten.)

146,30 f. *Proppertät ... Honnettität ... Reellität:* Sauberkeit, Anständigkeit, Redlichkeit.

151,6 *ridikül Parzenhaftes:* lächerlich Parzenhaftes. Anspielung auf
die dritte der griechischen Schicksalsgöttinnen, Atropos, die den
Lebensfaden abschneidet.

153,2 *Blondin:* eigtl. Jean-François Gravelet (1824–97), Seiltänzer,
berühmt durch seine Niagara-Überquerungen.

155,17 *'ne kleine Leiche:* ein kleines Leichenbegängnis.

155,20 *Justement:* (frz.) genau.

155,20 f. *unser alter Supperndent:* vgl. Anm. zu 5,35.

155,29 *Geschäftspolitesse:* Politesse: (frz.) Höflichkeit.

160,7 f. *Minerva:* römische Göttin, Patronin der Handwerke und
Künste, auch Kriegsgöttin.

160,18 f. *ein Exempel statuiert:* ein warnendes Beispiel gegeben.

160,20 *die Rolle des donnernden Zeus:* die Rolle des Herrschers im
Hause; Donner und Blitz dienten Zeus, in der griechischen My-
thologie Herr über Götter und Menschen, als Mittel seiner Macht.

161,13 f. *Moniteur... das »Fremdenblatt«:* Moniteur: (frz.) Ratgeber,
Anzeiger. Das 1862 gegründete *Berliner Fremden- und Anzeigeblatt*
(seit 1876 *Berliner Fremdenblatt*) war ein Anzeiger der Gesellschaft.

161,28 *die Vandalen:* exklusive Heidelberger Studentenverbindung,
nach dem germanischen Volk benannt.

161,36 *Suppenliste:* Sammelliste für wohltätige Zwecke.

163,7 *neben dem Kanal:* Berliner-Spandauer Schiffahrtskanal.

163,20 *Tschapkas:* (poln.) Ulanenhelme.

163,36 *Bozel:* Koseform für *Bogislaw.*

165,23 *Allüren:* (frz.) gekünstelte Umgangsart.

165,28 *Superiorität:* Überlegenheit.

166,6 *Sacramento:* Fluß in Kalifornien.

166,8 *Diggings:* (engl.) Goldfelder.

166,17 *Sanktion:* Billigung, Anerkennung.

166,22 *nihilistisch:* skeptisch gegenüber allgemeinen Normen und
Werten.

166,25 *Monogamie:* Einehe, Ehe mit nur einem Partner.

166,30 *Philister:* hier: engstirniger Mensch, Spießbürger.

167,6 *Konfidenzen:* Vertraulichkeiten, vertrauliche Mitteilungen.

169,30 f. *das alte Weißbierlokal ... Namen:* Tempelhofer Ufer 19. Der erste Besitzer hieß Buberitz; der Volksmund änderte die beiden *b* in *p*.

170,8 f. *cher ami, nous verrons:* (frz.) lieber Freund, wir werden sehen.

170,14 *Potsdamer Bahnviadukt:* Eisenbahnbrücke über den Landwehrkanal.

170,31 *clay:* (engl.) Erde, Lehm, Lehmboden.

172,18 f. *Käthe, Puppe, liebe Puppe:* ironische Anlehnung an Ibsens Drama *Ein Puppenheim* (1879, dt. *Nora*).

173,21 *Nonchalance:* Unbekümmertheit.

173,26 *Pennal:* Federbüchse, Federtasche.

173,34 *Insolent:* ungebührlich, frech.

174,3 *Jahrestag von Königgrätz:* Am 3. 7. 1866 wurde die Schlacht bei Königgrätz geschlagen.

174,4 *im Siebenjährigen Kriege:* 1756–63.

174,14 *seines Clans:* Clan: (engl.-schott.) Sippe, Stamm.

175,12 *Attachement:* (frz.) Anhänglichkeit.

175,36 *kakerlakigen:* albinohaften, weißlichen.

176,3 *Krypt:* (griech.) Gruft, Grabkapelle; hier die Unterkirche im Limburger Dom.

176,3 f. *Kadettenanstalt:* militärische Erziehungsanstalt für Offiziere.

176,4 *Wasserheilanstalt:* die Kaltwasserheilanstalt in Nassau.

176,19 *Lunch:* (engl.) Gabelfrühstück zur Mittagszeit.

176,28 f. *das Mausoleum:* im Park des Charlottenburger Schlosses, mit Grabdenkmälern verschiedener Hohenzollern.

176,35 *Mooskarpfen:* mit Moos bewachsener, alter Karpfen.

177,8 *das Belvedere:* (ital.) Schöne Aussicht; Teehaus im Park.

177,13 *von Bischofswerder:* Johann Rudolf von Bischoffwerder (1741–1803), General und Politiker, der großen Einfluß auf Friedrich Wilhelm II. von Preußen hatte, ihn mit dem Geheimbund der Rosenkreuzer in Verbindung brachte und seine religiös-mystischen, übersinnlichen Neigungen für seine Zwecke zu nutzen verstand.

177,16 f. *seiner Geliebten:* Wilhelmine Enke, verh. Rietz, zur Gräfin von Lichtenau erhoben.

177,24 *Königin Luise:* 1776–1810; wurde 1793 mit dem Kronprinzen Friedrich Wilhelm von Preußen, dem späteren König Friedrich Wilhelm III., vermählt.

179,3 *Fauteuil:* (frz.) Lehnsessel.

179,16 *Suffisance:* (frz.) Dünkel.

179,17 *Table d'hote:* (frz.) Gästetafel im Hotel.

179,19 ›*die Pompadour‹:* Marquise de Pompadour (1721–64), Geliebte Ludwigs XV. von Frankreich; nach ihr wurde (vgl. 179,28 ff.) ein beutelförmiges Handtäschchen aus Stoff benannt.

179,36 f. *Reticules . . . Ridicules:* Wortspiel: Reticules: (frz.) Arbeits- oder Strickbeutel; Ridicules: (frz.) Lächerliche.

180,4 *Impertinenz:* Unverschämtheit, Frechheit.

180,20 *Walfischrippe:* Das Korsett (aus Fischbein gefertigt) setzt Frau Dörr hier wohl der Kritik der Frauen aus.

181,1 *Kranz:* Symbol der Jungfräulichkeit.

DATEN ZU LEBEN UND WERK
THEODOR FONTANES

1819   Am 30. Dezember in Neuruppin in der Mark Brandenburg geboren, wo Fontanes Vater Apotheker war. Beide Eltern stammen von französischen Hugenotten ab, die nach der 1685 erfolgten Aufhebung des Edikts von Nantes in Brandenburg Zuflucht gefunden hatten.

1827   Übersiedlung nach Swinemünde, wo Fontane von Hauslehrern unterrichtet wird.

1832   Rückkehr nach Neuruppin. Zu Ostern Eintritt in die Quarta des Neuruppiner Gymnasiums.

1833   Ab 1. Oktober Besuch der Klödenschen Gewerbeschule in Berlin, die Fontane 1836 mit dem »Einjährigen« (also der »Mittleren Reife«) verläßt.

1836   Beginn einer Apothekerlehre, die Fontane 1840 mit seinem Examen als Apothekergehilfe abschließt. 1839 erscheint im »Berliner Figaro« die Erzählung *Geschwisterliebe*.

1840–44   Verschiedene Stellen als Apothekergehilfe: 1840 in Magdeburg, 1841 in Leipzig, 1842 in Dresden, 1843 (und wieder 1845) in der Apotheke seines Vaters in Letschin im Oderbruch. Er schließt sich in dieser Zeit verschiedenen literarischen Vereinen an (dem Platen- und Lenau-Verein in Berlin, dem Herwegh-Verein in Leipzig). In der Zeitschrift »Die Eisenbahn« veröffentlicht Fontane 1841–43 sowohl Gedichte als auch erste journalistische Artikel, die seine Nähe zur radikal-demokratischen Vormärz-Strömung zeigen.

1844   Vom 1. April an dient Fontane als Einjährig-Freiwilliger im Berliner Gardegrenadierregiment »Kaiser Franz«. Im Mai/Juni unternimmt er seine erste England-Reise. Ab September ist er – unter dem Namen »Lafontaine« – ordentliches Mitglied des literarischen Sonntagsvereins »Tunnel über der Spree«, in dem er unter anderem Paul Heyse und Adolf von Menzel begegnet und dem er gut 15 Jahre angehören wird.

1845   Wiederaufnahme seiner Tätigkeit in verschiedenen Apotheken. 1847 erfolgt die Approbation zum Apotheker. Der Kauf einer eigenen Apotheke scheitert, da ihm die finanziellen Mittel fehlen.

1848   Teilnahme an den revolutionären März-Ereignissen. Ab Sommer bildet er im Berliner Bethanien-Krankenhaus zwei Diakonissinnen pharmazeutisch aus.

1849   Aufgabe des Apothekerberufs. Seine Laufbahn als freier
        Schriftsteller beginnt Fontane als Berliner Korrespondent der
        »Dresdner Zeitung«.

1850   Am 16. Oktober Heirat mit Emilie Rouanet-Kummer. Mit-
        arbeiter verschiedener Zeitschriften des konservativen La-
        gers; Anstellung im »Literarischen Kabinett«. Als erste Buch-
        veröffentlichungen erscheinen *Männer und Helden. Acht
        Preussen-Lieder* und das epische Gedicht *Von der schönen
        Rosamunde.*

1851   Die *Gedichte* erscheinen (2., vermehrte Auflage 1875).

1852   Im Sommer erneute England-Reise. Es entstehen zahlreiche
        Balladen.

1855–59 Im September geht Fontane als Leiter der »Deutsch-Eng-
        lischen Korrespondenz« (1856 eingestellt) nach London. Ab
        1856 wird Fontane Agent der Zentralpreßstelle und dem
        preußischen Gesandten Graf Bernstorff als literarischer
        Berichterstatter zugeteilt. 1857 folgt seine Familie nach Lon-
        don. Es entstehen kulturgeschichtliche und politische Essays,
        Gedichte und Übersetzungen.

1859   Im Januar Rückkehr nach Berlin. Der durch Paul Heyse ver-
        mittelte Versuch, in München als Privatbibliothekar des bay-
        rischen Königs eine Anstellung zu finden, scheitert.

1860   Am 1. Juni Eintritt in die »Neue Preußische (Kreuz-)Zei-
        tung« als Redakteur des England-Teils. Fontane wird von
        nun an in Berlin wohnen. Die in England verfaßten Aufsätze
        erscheinen in Buchform: *Jenseits des Tweed* und *Aus England.
        Studien und Briefe über Londoner Theater, Kunst und Presse.*

1862   Der 1. Band der *Wanderungen durch die Mark Brandenburg*
        erscheint. Diese Reisefeuilletons werden Fontane neben dem
        Romanwerk 20 Jahre lang beschäftigen (1863 erscheint Bd. 2,
        1873 Bd. 3, 1882 Bd. 4).

1864–70 Mit dem Ausbruch des Deutsch-Dänischen Kriegs be-
        ginnt die Phase der Kriegsgeschichtsschreibung. Verschiedene
        Reisen zu Kriegsschauplätzen: 1864 nach Schleswig-Holstein
        und Dänemark, 1866 nach Böhmen und Süddeutschland,
        1870 und 1871 nach Frankreich. 1870 wird Fontane in Frank-
        reich als Spion verdächtigt und zwei Monate gefangengehal-
        ten. Es erscheinen die Berichte *Der Schleswig-Holsteinische
        Krieg im Jahr 1864* (1866), *Der deutsche Krieg von 1866*
        (2 Bde., 1870–71), *Kriegsgefangen. Erlebtes 1870* (1871), *Der
        Krieg gegen Frankreich 1870/71* (2 Bde. 1873–76).

1870   Fontane arbeitet (bis 1889) als Theaterkritiker für die »Vossi-
        sche Zeitung«.
1878–98   Als erster Roman erscheint *Vor dem Sturm* (1878). In den
        nächsten 20 Jahren erscheint Fontanes Romanwerk – mit
        zwei autobiographischen Werken – in kontinuierlicher Folge:
        Grete Minde (1880), *Elternklipp* (1881), *L'Adultera* (1882),
        Schach von Wuthenow (1883), *Graf Petöfi* (1884), *Unterm
        Birnbaum* (1885), *Cécile* (1887), *Irrungen, Wirrungen* (1888),
        Stine (1890), *Quitt* und *Unwiederbringlich* (1891), *Frau
        Jenny Treibel* (1892), *Meine Kinderjahre. Autobiographischer
        Roman* (1894), *Effi Briest* (1895), *Die Poggenpuhls* (1896),
        Von Zwanzig bis Dreißig. Autobiographisches (1898).
1898   Fontane, der 1894 die Ehrendoktorwürde der Berliner Uni-
        versität verliehen bekommen hatte, stirbt am 20. September
        in Berlin. – Die Buchausgabe seines letzten Romans *Der
        Stechlin* erscheint 1899, aus dem Nachlaß wird 1914 *Mathilde
        Möhring* veröffentlicht.